Government of Canada
Veterans Affairs

Gouvernement du Canada
Anciens Combattants

VALOUR REMEMBERED

Canadians in Korea

1950-1953

Canadä

Written by Patricia Giesler
Veterans Affairs Canada

Design: Bytown Graphics

Photographs: National Archives of Canada,
the Department of National Defence.
National Archives numbers are printed next to the photos.

Maps: Directorate of History and Heritage,
Department of National Defence.

Cover Painting: Bytown Graphics

For further information see: Wood, Lt. Col. Herbert Fairlie.
Strange Battleground, Official History of the
Canadian Army in Korea (Queen's Printer, 1966)

Available from:
Veterans Affairs Canada
15th Floor, 66 Slater St.
Ottawa, Ontario. K1A 0P4
www.vac-acc.gc.ca

Reprinted 2000

Cat. No. V32-30/1982
ISBN 0-662-52115-3

Printed in Canada

Contents

Canadian soldier and
Korean farmer.

Introduction

On June 25, 1950 the forces of North Korea crossed the 38th Parallel into the Republic of Korea. This marked the beginning of hostilities which were to rage for three full years and more, throughout that country known to its people as the Land of the Morning Calm. The magnitude of the assault made it clear that this was a full-scale invasion.

This was the first open act of aggression since the establishment of the United Nations Organization and its actions were of great significance for its prestige and credibility—in fact for its very future. The invasion was declared a breach of the peace, and 16 member nations joined forces to resist the aggression.

Canada's contribution, exceeded only by that of the United States and Great Britain, demonstrated her willingness to uphold the United Nations ideals and to take up arms in support of peace and freedom. All told 26,791 Canadians served in the Korean war and another 7,000 served in the theatre between the cease-fire and the end of 1955. The names of 516 Canadian dead are inscribed in the Korea Book of Remembrance.

Canadian participation in these hostilities marked a break with traditional policy. It was the beginning of a new era of involvement in world affairs which saw Canadian troops deployed around the world in truce teams, peace commissions and emergency forces. A new page in Canada's proud military history was written.

This book is dedicated to those Canadians who served—in the mountains and rice paddies, on the sea and in the air—to halt aggression and maintain world peace.

a. UN flag flies over Imjin River near *Teal* Bridge, February 1952.
b. Yang-Do, Korea, June 1952.

Outbreak of War

Background of the Conflict

The history of Korea is marked by successive conquest. Long dominated by China, the peninsula had passed into Japanese control in 1910 following the Russo-Japanese War.

During the course of the Second World War the leaders of the Allied nations of Great Britain, the United States and China met to decide what would be the fate of Japan and her territories when hostilities ended. In their Cairo Declaration of November 1943, they promised that "in due course Korea shall become free and independent".

When the Japanese surrendered in 1945 the Soviet Union occupied North Korea; the United States took over control in South Korea. The 38th Parallel was chosen as the dividing line. It was assumed that the occupation would be temporary and that a unified, independent country would eventually be formed.

Unfortunately, the defeat of the Axis powers in 1945 did not bring peace to the world. The western allies soon found themselves engaged in a new struggle with their former ally the Soviet Union. As the Cold War developed in other parts of the world, in Korea the 38th Parallel gradually hardened into a permanent boundary. In the north the Russians established a communist regime which they proceeded to arm. In the south the United States set up a shaky democracy under the leadership of Syngman Rhee. Complicated by the artificial boundary, the economic and political situation grew desperate, and by 1946 Syngman Rhee was appealing for an end to the division of his country.

In September 1947 the United States announced its intention of laying the whole matter before the United Nations. The Soviet Union countered by suggesting that both sides withdraw their forces leaving the Koreans free to choose their own government. The Americans rejected this proposal which would have left the South Koreans at the mercy of the heavily armed north. They submitted the problem to the United Nations General Assembly.

The Assembly, on November 14, 1947, created a Temporary Commission to Korea to supervise free and secret elections and to oversee the withdrawal of the

occupation forces. As the Communists denied the Commission access to North Korea, it was directed to implement the program in those parts of the country which were accessible. On May 10, 1948, elections were held in South Korea; on August 15, the Government of the Republic of Korea was established. This Government was recognized by the United Nations General Assembly which recommended the withdrawal of occupying forces and established a new United Nations Commission. The Soviet Union immediately created in North Korea the "Democratic People's Republic of Korea" under the control of a communist guerrilla leader, Kim Il Sung.

In December the Soviet Union announced that it had withdrawn its troops from North Korea and thus forced the United States to follow suit in South Korea. The South Korean Army, armed with small arms and mortars and without tanks, heavy guns or aircraft, was left to face a large, well-equipped North Korean force.

Trouble soon flared up along the border as both sides claimed the right to rule all Korea. North Korean patrols began to invade the southern Republic and the United Nations Commission repeatedly warned of impending civil war.

Invasion and World Reaction

On the morning of June 25, 1950 the North Koreans invaded in force.

World reaction to this, the first open act of aggression since the establishment of the United Nations Organization, was swift. At the request of the United States, the United Nations Security Council met on the afternoon of

June 25. It determined that the armed attack was a breach of peace and called for immediate cessation of hostilities, and the withdrawal of North Korean forces to the 38th Parallel. Fortunately, the Soviet Union was boycotting all UN meetings over another issue and could, therefore, not exercise its veto power.

It was soon evident that the North Koreans had no intention of complying with the United Nations' demands. As their forces pressed southward, President Truman ordered the United States Navy and Air Force to support the South Koreans by every possible means.

On the same day, a second UN resolution called on the Members to "furnish such assistance to the Republic of Korea as may be necessary to repel the armed attack and to restore international peace and security in the area". This was, in effect, a declaration of war on North Korea. On June 30 President Truman authorized the commitment of American troops. Other UN member nations offered forces and the Security Council recommended that all troops be placed under a single commander. Thus, a United Nations Command was established in Tokyo under General Douglas MacArthur of the United States.

Meanwhile, the North Koreans were pushing rapidly forward through the valleys and rice paddies of the Korean peninsula. The South Korean capital, Seoul, was occupied on June 28, and by the first week of August the UN forces were confined within the "Pusan Perimeter", a small area in the southeast of the peninsula.

a

Canadian Reaction to the Invasion

The Canadian Government, while agreeing in principle with the moves made to halt aggression, did not immediately commit its forces to action in Korea. At the close of the Second World War the Canadian armed forces had been reduced to peacetime strength, and were specially trained for the defence of Canada. The Regular Army (or Active Force as it was then known) was composed of three parachute battalions (the Mobile Striking Force), two armoured regiments, a regiment of field artillery and a few basic supporting units such as signals and engineers. The limited strength of the Active Force—20,369 all ranks—meant that it was not able to provide an expeditionary force without seriously weakening home defence.

Furthermore, the Far East had never been an area in which Canada had any special national interest. While Canadian opinion supported UN action, Canadian contribution to the conflict, of necessity, came piecemeal.

The first Canadian aid to the hard-pressed UN forces came from the Royal Canadian Navy. On July 12, 1950 three Canadian destroyers, HMCS *Cayuga*, HMCS *Athabaskan* and HMCS *Sioux*, were dispatched to Korean waters to serve under the United Nations Command. Also in July, a Royal Canadian Air Force squadron was assigned to air transport duties with the United Nations. No. 426 Squadron, consisting of six North Star aircraft (later increased to 12), flew regularly scheduled flights between McChord Air Force Base, Washington, and Haneda Airfield, Tokyo throughout the campaign.

The Canadian Army Special Force

On August 7, 1950, as the Korean crisis deepened, the Government authorized the recruitment of the Canadian Army Special Force (CASF). It was to be specially trained and equipped to carry out Canada's obligations under the United Nations Charter or the North Atlantic Pact.

The CASF was to be raised and trained as part of the regular army. The new citizen volunteers, many of them veterans of the Second World War, were enrolled for a period of 18 months or for a further period, if required, under certain conditions. The new field units were established as separate units of existing Active Force

a. Canadian troops en route to Korea boarding North Star aircraft, No. 426 (Thunderbird) Squadron, RCAF, February 1951. *b.* Guns of *Cayuga* fire at enemy gun emplacements.

b

Brig. J.M. Rockingham briefing platoon and company commanders of 1st PPCLI.

regiments. The ranks would be filled, where necessary, by Active Force members.

Later, as the requirements for overseas forces continued, important changes in policy were introduced. A system of rotation was adopted which included the Active Force Units. These units proceeded to Korea and were replaced at home by volunteers from among the returning Korean veterans.

The original components of the Special Force included the second battalions of The Royal Canadian Regiment (RCR), Princess Patricia's Canadian Light Infantry (PPCLI), and Royal 22e Régiment (R22^{e}R); "C" Squadron of Lord Strathcona's Horse (Royal Canadians); 2nd Field Regiment, Royal Canadian Horse Artillery (RCHA); 57th Canadian Independent Field Squadron, Royal Canadian Engineers (RCE); 25th Canadian Infantry Brigade Signal Squadron; No. 54 Canadian Transport Company, Royal Canadian Army Service Corps (RCASC); and No. 25 Field Ambulance, Royal Canadian Army Medical Corps (RCAMC).

On August 8, 1950 Brigadier J.M. Rockingham returned from civilian life to accept command of the Canadian Infantry Brigade for service under the United Nations. During the Second World War Brigadier Rockingham had commanded the 9th Canadian Infantry Brigade in the campaign in Northwest Europe.

The Landing at Inchon

In mid-september 1950 the military situation in Korea was dramatically reversed. The UN forces, confined within the "Pusan Perimeter", were still being hard-pressed when a daring amphibious assault was launched at Inchon, the port of Seoul. Sailing from Japan, the US 10th Corps landed on September 15 and quickly overcame all enemy resistance in the seaport area. By September 26 Seoul was re-captured. Meanwhile, the Eighth US Army had broken out of the "Pusan Perimeter" and had linked up with the 10th Corps. By the end of the first week of October they were driving the shattered enemy across the 38th Parallel.

The United Nations forces then moved northwards, crossed the North Korean border, captured Pyongyang the capital, and advanced towards the Yalu River, the boundary between North Korea and China.

Following the Inchon landings and the UN successes

of September and October, the end of the war in Korea seemed imminent. These events appeared to reduce the need for additional troops. It was, therefore, decided to limit the Canadian contribution to one battalion to be used for occupation duties. The remaining units of the CASF would continue training in Fort Lewis, Washington during the approaching winter. The move to Fort Lewis was marred by tragedy when a train carrying troops of the 2nd Regiment, Royal Canadian Horse Artillery collided head-on with another train on November 21. Seventeen soldiers were killed.

At Fort Lewis the units formed the 25th Canadian Infantry Brigade and this term was generally used in place of the "Canadian Army Special Force".

The battalion selected to serve in Korea was the 2nd Battalion of the Princess Patricia's Canadian Light Infantry, commanded by Lieutenant-Colonel J.R. Stone. On November 25 the Patricias sailed for Korea with an embarkation strength of 927 including an administrative increment.

It was estimated that the battalion (which had yet to do any serious advanced training) would be ready for action by March 15, 1951. As it turned out the unit went into the line a full month earlier, suffering its first battle casualties in the Korean hills on February 22, 1951.

Troops of 2nd PPCLI during patrol, March 1951.

Headquarters, United Nations and Far East Command showed them still poised for action in Manchuria.

As the Chinese build-up developed, the United Nations forces continued their advance northward reaching the main enemy positions between Pyongyang and the Yalu River on November 26. Then, the Chinese launched a massive attack which turned the UN advance into a retreat to new positions along the Imjin River north of Seoul.

It was in this atmosphere of unexpected disaster that the 2nd Battalion Princess Patricia's Canadian Light Infantry arrived in Korea in December 1950. The occupation role which they had expected to fill no longer existed. Instead the emphasis had shifted to the speed with which the battalion could be thrown into action. The Patricias began an intensive training period at Miryang near Taegu as grim news continued to arrive from the north.

The New Year opened with another crushing offensive by the Chinese which forced a further general withdrawal. Seoul again fell to the Communists on January 4, 1951. A new line was established some 64 kilometres south of the former capital.

While these events were taking place the Canadian battalion underwent the further training in weapons and tactics required before they could be committed to battle, and carried out limited operational tasks, such as anti-guerrilla patrols.

The Chinese Intervention

When the Canadians sailed from Seattle on November 25, 1950 the war in Korea seemed to be near its end. When they reached Yokohama on December 14 the picture had completely changed. Communist China had intervened.

By the end of October 1950 six Chinese armies had already crossed the Yalu River and, with an approximate strength of 180,000, were concentrated in front of the advancing United Nations forces. Conducted at night with great secrecy, these large scale Chinese movements had gone undetected by UN forward troops and air reconnaissance units. Unsupported reports by prisoners of a massive build-up were not believed. On October 27, at a time when thousands of organized Chinese troops were pouring across the Yalu, General

Canadians in Action 1951

Canadian Troops in Action

PPCLI Memorial at Kapyong.

In mid-February 1951 the 2nd Battalion PPCLI entered the line of battle under the command of the 27th British Commonwealth Infantry Brigade. This formation, which had participated in operations in Korea since the early stages of the conflict, consisted of two British and one Australian battalions. Artillery support was provided by a New Zealand Field Regiment and medical care by the 60th Indian Field Ambulance. The Patricias rounded out its Commonwealth character.

The arrival of the Canadians coincided with the second general United Nations advance towards the 38th Parallel. In this new offensive the 27th British Commonwealth Brigade was to advance north-east to its final objective the high ground north-west of Hoeng-song.

Sharing the brigade lead with the British Argylls, the Patricias, on February 21, began to advance up the valley north from the village of Sangsok. Rain, mixed with snow, made progress treacherous, but fortunately enemy opposition was light. "D" Company made the first contact with the enemy when its leading elements came under fire from the high ground to the north-east.

In the days that followed progress became more difficult. Hills, ranging from 250 to 425 metres, rose on either side; hill positions had to be dug through deep snow; the weather was bitterly cold and enemy resistance increased. On February 22, "C" Company sustained the battalion's first battle casualties when it lost four killed and one wounded in an attack on Hill 444. The other Commonwealth troops encountered similar difficulties. Yet, by the first of March, the brigade had advanced 25 kilometres over difficult country against a stubborn rearguard action.

On March 7 the advance was resumed. The objectives were Hills 410, assigned to the Australians, and 532, assigned to the 2nd PPCLI. The valleys now ran east and west cutting across the axis of advance and provided the enemy with a natural line of defence. At first resistance was heavy from the enemy who was well dug in and camouflaged. The attack slowed down to a series of stubbornly fought section battles. Then, suddenly, the enemy withdrew.

In the next several days it became apparent that the Chinese were withdrawing all across the front. On March 15 Seoul was liberated by the 1st Republic of Korea (ROK) Division. Following a retreating enemy, the 24th US Infantry Division advanced towards the 38th Parallel west of the Kapyong River, while the Commonwealth Brigade proceeded up the Chojong valley to its first objective, a massive hill called 1036, on the line *Benton*. By March 31 this objective was reached and the brigade was moved east to the valley of the Kapyong River. On April 8 the Patricias successfully attacked objectives across the 38th Parallel.

Meanwhile, the question of crossing the 38th Parallel was being heatedly debated on both the military and political levels. Two courses of action were open to the United Nations forces. The first was to press for complete military victory. This would require additional forces and the extension of the conflict beyond the Korean borders into Manchuria. The alternative was military stabilization combined with UN negotiations to end the conflict. General MacArthur pressed for an all-out effort to achieve victory even at the risk of open war with Communist China, and publicly expressed his dissatisfaction with the UN and the Truman administration which favoured negotiation. On April 11, 1951 he was relieved of his command and replaced by Lieutenant-General Matthew B. Ridgway.

General MacArthur's dismissal did not mean an immediate reversal of tactics. The advance which had begun in February continued. By mid-April almost the entire UN front lay north of the 38th Parallel.

The Action at Kapyong

Evidence accumulated of a formidable Chinese build-up for a counter-offensive. The earlier withdrawal had straightened the enemy's lines, placed his forces on high ground north of the Imjin River, and had allowed him to replace tired troops and reorganize his equipment.

On the night of April 22-23, 1951 Chinese and North Korean forces struck in the western and west-central sectors. Both the 1st and the 9th US Corps were ordered to withdraw. In the 9th Corps sector the blow fell on the 6th ROK Division. Overwhelmed and forced to retreat, it was in grave danger of being cut off and completely destroyed.

Fortunately, the location of the 27th British Commonwealth Brigade, then in Corps reserve, was ideal for an escape route along which the South Koreans could withdraw. The area lay in the valley of the Kapyong River near its junction with the Pukhan River. Here the valley was some 2,800 metres wide. To the north it narrowed and curved and was dominated by surrounding hills. From these hills the exits and entrances to the valley could be controlled. A defensive position was established with the 3rd Royal Australian Regiment at Hill 504, the 2nd PPCLI dug in on Hill 677 and the 1st Middlesex Regiment south of the Patricias.

The Australians were the first to come under attack and withstood a heavy engagement during the night of April 23-24. The next day the Chinese infiltration intensified forcing the Australians to withdraw under great pressure. The Australian withdrawal exposed the Patricias' position to enemy attack. The battalion defences covered the north face of Hill 677: "A" Company was on the right, "C" Company in the centre, and "D" on the left flank.

"B" Company, which at first occupied a salient in front of "D", was moved farther south to a hill immediately east of tactical headquarters. From this location it could observe the enemy build-up across the valley of the Kapyong to the north and east, near the village of Naechon. About 10 p.m. enemy mortar bombs began to fall on the Patricias' position, and shortly thereafter the forward platoon came under attack. The platoon was partially overrun but was able to disengage itself and move back to the main company position where a counter-attack was organized.

While the attack on "B" Company was in progress the enemy also attempted to infiltrate at other points including a probe against tactical headquarters. These attacks were driven off by battalion mortar and machine-gun fire.

"D" Company, in its exposed position to the northwest, bore the brunt of the next attack as the enemy assaulted in large numbers from two sides. As one platoon and a machine-gun section were overrun and another platoon cut off, the company commander called for supporting fire on top of his own position. After two gruelling hours the enemy advance was stemmed.

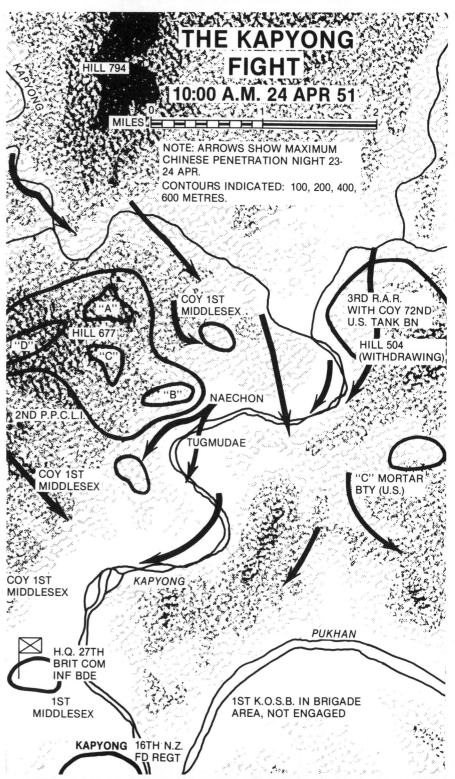

THE KAPYONG FIGHT
10:00 A.M. 24 APR 51

MILES 0 1 2

NOTE: ARROWS SHOW MAXIMUM CHINESE PENETRATION NIGHT 23-24 APR.

CONTOURS INDICATED: 100, 200, 400, 600 METRES.

HILL 794

KAPYONG

COY 1ST MIDDLESEX

3RD R.A.R. WITH COY 72ND U.S. TANK BN

HILL 504 (WITHDRAWING)

"A"

HILL 677

"D"

"C"

"B"

NAECHON

2ND P.P.C.L.I

TUGMUDAE

COY 1ST MIDDLESEX

"C" MORTAR BTY (U.S.)

COY 1ST MIDDLESEX

KAPYONG

PUKHAN

H.Q. 27TH BRIT COM INF BDE

1ST MIDDLESEX

1ST K.O.S.B. IN BRIGADE AREA, NOT ENGAGED

KAPYONG 16TH N.Z. FD REGT

a. Canadians preparing machine-gun position, May 1951. *b.* Troops of 2nd PPCLI crossing log bridge, February 1951.

Through the night the enemy persisted in his attacks, but each was driven off by artillery fire. With the approach of daylight the pressure subsided and "D" Company was able to re-establish its former position.

Although the Patricias had maintained their positions, the battalion was surrounded and the supply route was controlled by the enemy. With ammunition reserves and emergency rations depleted, Lieutenant-Colonel Stone requested air supply. The parachute drop was made within hours of the request. By 2 p.m. the Middlesex Regiment had cleared enemy groups from the rear and the road to the PPCLI position was re-opened.

The Canadians in this action had maintained their position—vital to the brigade defence—while at the same time inflicting heavy casualties on the enemy. The relatively light casualties (10 killed and 23 wounded) which they, themselves, had sustained testified to the skill and organization with which the defence was carried out. For their gallant stand at Kapyong the 2nd Princess Patricia's Canadian Light Infantry and the 3rd Royal Australian Regiment received the United States Presidential Citation.

By May 1 the enemy offensive had ended. The 1st and 9th U.S. Corps then held an irregular line some 30 kilometres south of the 38th Parallel forming an arc north of Seoul. Plans were begun at once for a return to the *Kansas* line, the code name for a range of hills just above the 38th Parallel. At the same time the defensive position was strengthened against a possible new Chinese offensive. To the north the Chinese shifted their forces eastward in preparation for an assault against the Eighth Army sector.

The Arrival of the 25th Brigade

On February 21, 1951 the Minister of National Defence, the Honourable Brooke Claxton, announced the decision to send the remainder of the 25th Canadian Infantry Brigade (see above page 4) to Korea as originally planned.

The brigade landed at Pusan at the beginning of May and, after a short period of training, moved north to join the 28th British Commonwealth Brigade (which had relieved the 27th Brigade) on the Han River. They came into the line as the United Nations forces began their third general advance to the 38th Parallel. The artillery regiment was committed almost immediately in support

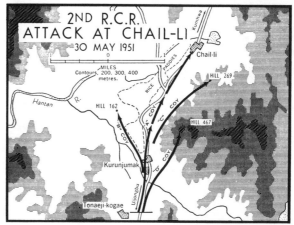

of the 28th Brigade north of the Han, firing its first operational round on May 17.

Since opinion in the United Nations still favoured stabilization of the military situation and negotiation, the overall aim of the new operation was to relieve pressure on the embattled sectors, while preventing Communist armies from recovering their strength and launching another massive offensive.

Battle tactics and strategies were determined by the relative strengths and nature of the opposing forces. With air supremacy and superior materiel strength, the battlefield aim of the United Nations forces was not "to close with and destroy the enemy", but to force him back behind the mountain barriers along the 38th Parallel, using manpower sparingly. On the other hand, Chinese tactics were dominated by their chief asset, manpower. Thus, when an offensive failed to meet its objective, they tended to withdraw while reinforcements and supplies were brought forward for another attempt.

As a result, the UN operation was essentially a matter of regimental groups moving forward, singly or in conjunction with flanking units. The action by Canadian troops was similar to that in other sectors along the front.

On May 24, 1951 the 25th Brigade was placed under command of the 25th US Infantry Division and moved to an area north-east of Uijongbu. The brigade's first operation, code-named *Initiate*, was an advance through a series of phase lines to the line *Kansas* south of the Imjin River. It was preceded by "Task Force Dolvin", a combined tank-infantry battle group designed to move rapidly forward to seize and hold the objective until the main force arrived to establish strong defensive positions.

The brigade's axis followed the valley of the Pochon River. One battalion, supported by tanks and a detach-ment of the Royal Canadian Engineers, advanced along each side—the 2nd Royal Canadian Regiment on the left and the 2nd Royal 22e Régiment on the right.

Advancing in the face of light resistance, the brigade reached positions on line *Kansas* on May 27. It took over from "Task Force Dolvin" on May 28 and the next day began an advance north of the 38th Parallel. It halted near a burnt-out village at the foot of a formidable mountain barrier named Kakhul-bong (Hill 467).

The Attack on Chail-li

Kakhul-bong dominated the line of advance of the 2nd Royal Canadian Regiment. Therefore, a battalion attack was organized against this feature and the village of Chail-li that lay beyond it.

The battalion plan was for "A" Company to seize the village of Chail-li to the north of the hill; "B" Company was to secure the left flank by occupying Hill 162 to the west; and "C" Company was to capture Hill 269 between Chail-li and Hill 467. The main assault on Kakhul-bong was assigned to "D" Company. The battalion was supported by the 2nd Regiment RCHA.

The operation began early in the morning of May 30 in a driving rainstorm. "A", "B" and "C" companies reached their objectives with relative ease, but "D" Company met strong resistance and suffered casualties from enemy machine-gun fire.

Early in the afternoon the Chinese, while still holding the hill, counter-attacked against "A" Company and the village of Chail-li, circling to the rear to surround and cut off the company. Meanwhile "C" Company, located on Hill 269 between the two points, was unable to provide effective aid to either. Poor visibility made it difficult to identify the troops in the valley, and the distance was too great for company gun-fire to reach the enemy.

a. Personnel of R22^{e}R consolidating position north of 38th Parallel, May 1951.
b. Machine-gun crew of RCR, May 1951.
c. Canadians pushing jeep and trailer, May 1951.

a.

a. Troops of R22ᵉR cleaning Bren gun, December 1951.
b. Personnel of RCR, June 1951.

Kakhul-bong was vital to the Chinese supply lines and their system of communication across the Chorwon Plain and they strongly resisted "D" Company's advance. Repeated attempts failed to dislodge the defenders who took advantage of an extensive trench system and a well placed machine-gun on the pinnacle of the hill. In addition the brigade's overall situation was precarious. The advance had created a deep salient in the enemy lines leaving the brigade flanks without protection. Since it appeared that the Royal Canadian Regiment could not continue to hold Chail-li or take Kakhul-bong, Brigadier Rockingham ordered a withdrawal in order to form an organized defensive position. With the Chinese pressing closely, the RCR fought their way back to their new position.

The action at Chail-li was the brigade's first serious engagement and it had acquitted itself well. The casualties of six killed and 54 wounded testified to the sharp engagement which had been fought.

On May 27, the 2nd PPCLI, which had remained with the 28th British Commonwealth Brigade during this period, moved south to rejoin the Canadian command it had left more than six months before in Fort Lewis.

Canadian Operations – June and July 1951

From June 2 to 18, 1951 the 25th Brigade remained in reserve south of the Imjin-Hantan junction. At this junction the Imjin River swings sharply south-west creating a deep salient in no-man's-land. Control of this salient was vital since the tip lay close to the supply route from Seoul through Uijongbu to the Chorwon area. During June the United Nations Command dominated the area by strenuous patrolling. Later in the year operations would be carried out to remove the salient.

Almost immediately after rejoining the 25th Brigade,

b.

the 2nd PPCLI was again attached to the 28th Commonwealth Brigade and was assigned the task of establishing and holding a patrol base in the tip of the salient. Patrol bases were defended areas of battalion or brigade size set up in no-man's-land at various distances ahead of the forward defended localities. From these bases troops could maintain vigilance over the area and probe deeply into the heights beyond. On June 6 the Patricias set up their base. They held it until June 11 when they were relieved by the Royal 22ᵉ Régiment.

Patrolling at Chorwon

By mid-June the Eighth US Army had broadened its salient on the east coast and advanced about 16 kilometres up the centre of the peninsula. This line was to remain substantially the same until the end of the war.

The Canadian brigade took over a 6,900 metre front extending south-west from Chorwon. To the north-east stretched the Chorwon Plain; to the front was a network of hills and narrow valleys. Here, in the weeks that followed, the troops were employed in raids and patrols. The Canadian position was a vulnerable one. The valleys and gullies provided easy access for enemy infiltration, and the troops had to be constantly on the alert.

The first of the series of large-scale patrols on the brigade front was carried out on June 21. The patrol was composed of infantry from the Royal Canadian Regiment and tanks of Lord Strathcona's Horse supported by field artillery of the RCHA and a tactical air control party. A firm base was established near Chungmasan and the artillery was deployed there while the remaining elements of the patrol continued forward. When an air observation plane reported the enemy in strength on a nearby hill, the patrol called for an air strike on the position. It then withdrew to the brigade area. Subsequent patrols, in the main, followed a similar pattern and achieved much the same results.

The Beginning of Truce Talks and the Formation of the 1st Commonwealth Division

During the summer of 1951 two significant events took place. Early in July, at Communist request, cease-fire negotiations were begun. The truce talks ran into difficulties at the outset and the suspicion prevailed that

a.

b.

c.

the Communists never intended them to produce an early peace, but were using them to gain military advantage. Like the war itself, the talks would drag on for the next two years.

Also in July came the announcement that the 25th Canadian Brigade would join the newly-formed 1st Commonwealth Division under the command of Major-General J.H. Cassells. Upon its formation the division, under the operational control of the 1st US Corps, held a sector of the line *Kansas* extending 10,000 metres westward from the Imjin-Hantan junction. The main enemy positions were 5,000 to 7,500 metres north of the Imjin.

As noted earlier, enemy activity in this area threatened the supply route to Chorwon. Therefore, the next months saw the 1st Commonwealth Division involved in deep patrolling into the salient, followed by the actual occupation of the area in Operations *Minden* and *Commando*.

From June 28 to early September 1951 the 25th Brigade was in reserve, during which time it was assigned a number of tasks. In mid-August a battalion size patrol was carried out by the RCR. Later in the month the PPCLI and the Royal 22e Régiment encountered only light resistance as they established firm positions and patrolled as far as Hills 187 and 208.

Across the Imjin

As peace negotiations remained deadlocked, the United Nations Command stepped up its offensive on the 1st Corps front. During September and October two operations, code-named *Minden* and *Commando*, were carried out to achieve defence in depth in the area and to provide greater flank protection to the Seoul-Chorwon supply route. In the first of these, *Minden*, the *Wyoming* line was extended to remove the salient created by the curve in the Imjin River.

D Day for Operation *Minden* was September 8, 1951. The Commonwealth Brigade established a firm bridgehead in no-man's-land on the north bank of the lower Imjin. From this base the other two brigades would advance three days later to the objective, a line from Sanggorangpo to Chung-gol, code-named *Wyoming*. Engineers, meanwhile, constructed or reopened roads through the area and built two bridges, *Pintail* and *Teal*, over the Imjin River. These bridges were vital links to the

a. Canadian troops and equipment being ferried across Imjin River, July 1951. *b.* Battery of guns of 2nd RCHA supporting troops of 2nd RCR, June 1951. *c.* Guns of RCHA shelling enemy positions at "Little Gibraltar". *d.* Section of R22eR near Imjin River, June 1951.

12

a. Mine-clearing team of RCE, September 1951.
b. PPCLI along Imjin River, June 1951.
c. Teal Bridge across Imjin River.

b.

c.

maintenance areas behind the Imjin and would play a major role in Canadian activities in the months ahead.

On September 11 the division moved north out of the bridgehead—the 29th Brigade on the left and the 25th Brigade on the right. The South Koreans and Americans advanced on either flank. By September 13 the operation was completed with little opposition and few casualties.

From the middle of September to Operation *Commando* which began on October 3, the 25th Brigade was engaged mainly in improving its positions and in "routine" patrolling. These patrols, it should be noted, were dangerous and often anything but routine for those who participated.

In Operation *Commando*, which involved all four divisions of the 1st US Corps, a new front line, known as *Jamestown*, was established. The Commonwealth portion of the line was on the high ground overlooking the valley of an unnamed tributary of the Sami-chon River. The American divisions were on the right and the 1st ROK Division was on the left. The brigades of the Commonwealth division launched their attacks on successive days so that each could be more heavily supported by artillery. The Canadians, with the 1st Royal Ulster Rifles attached from the 29th British Brigade, struck off on "D Day plus 1". The main objective of the RCR was Hill 187, while the PPCLI objectives included a second Hill also numbered 187 and Hill 159. The Ulsters were to take the area between the villages of Yongdong and Chommal.

The Ulsters began the attack and, with little difficulty, secured all their objectives that afternoon. By late afternoon the next day, October 5, the RCR and the Patricias had signalled success as well. The 28th Commonwealth Brigade, which had meanwhile encountered greater opposition, succeeded in taking its objective, Hill 217, by October 8.

The division then lay on the *Jamestown* line between the Sami-chon and the Imjin rivers with lines *Wyoming* and *Kansas* to the rear. It held a front of approximately 19,000 metres with seven battalions in the front line. In the landscape ahead the enemy main line was much closer than before and the newly-won hills were more open to attack.

These operations also served to weld the 1st Com-

a.

monwealth Division, with its various national groups, into a formidable fighting force. A sense of cohesion and *esprit de corps* developed which would be most valuable in the long months which lay ahead.

The First Rotation – October to November 1951

During October and November 1951 the first rotation of Canadian troops was accomplished. The 1st Battalion PPCLI, under the command of Lieutenant-Colonel N.G. Wilson-Smith, replaced the 2nd Battalion PPCLI in gradual stages to allow for the orientation of inexperienced troops.

One company of the 1st Patricias had a taste of action almost two weeks before the unit officially entered the line. The occasion was Operation *Pepperpot*, the Canadian share in a number of raids on certain known enemy positions by the 1st Commonwealth Division. The purpose was to inflict damage and casualties on the enemy and at the same time to obtain information regarding his layout. For these operations, which began on October 23, the Canadian brigade provided one company from each battalion. Hill 166, the main objective of the the Canadians, was assigned to the Royal 22e Régiment's company, while supplementary objectives, Hill 156 and an unnamed feature in between the two, were assigned to "A" Company of the 1st PPCLI and to the RCR respectively. The Royal Canadian Regiment

a.

and the Patricias reached their objectives in the face of relatively light opposition, but the Royal 22ᵉ was stopped short of its goal by heavy machine-gun fire. The operation cost the Canadians five killed and 21 wounded; the enemy lost 37 known dead and as many more believed killed or wounded.

Enemy Attacks – November 1951

Meanwhile, the enemy, too, took the offensive. Beginning in mid-October, as a reaction to Operation *Commando*, the Chinese mounted a series of attacks which continued, with increasing intensity, into November.

On the night of November 2-3, the enemy attacked the centre of the Canadian front held by "A" and "C" Companies of the Royal Canadian Regiment. The first assaults were repulsed, but in an early morning attack the forward platoon, short of ammunition and reduced by casualties, was forced to withdraw. It did so while fighting an effective delaying action. The enemy continued to threaten the company, but under fire by artillery and mortars he eventually withdrew.

On November 4 the 28th British Commonwealth Brigade suffered extremely heavy shelling followed by strong attacks. After a bitter struggle Hill 217 fell to the Chinese that evening, and Hill 317 followed during the night. While the fighting was still in progress on the 28th Brigade's front, the enemy launched a series of attacks

on a company of the 1st PPCLI. The first attack was broken up by artillery and mortars; a second and third were repulsed by the fire both of supporting arms and the company's own weapons. After the failure of the third attempt the enemy withdrew.

The next action in which the Canadian troops were involved was another raid on Hill 166 on November 9, by "C" Company of the Royal 22ᵉ Régiment. In this raid two platoons reached their intermediate objectives and the right forward platoon reached a point within 100 metres of the top of the hill. But now the enemy mounted a heavy counter-attack, and the whole force, having essentially completed its task, was withdrawn.

An adjustment to the divisional frontages at this time narrowed the Commonwealth sector by some 4,600 metres. Hill 355 which dominated the centre of the front line passed to the American 3rd Division. The Canadian brigade assumed responsiblity for a front of almost seven kilometres extending north-east from the Samichon River.

The Canadians, with all three battalions forward, completed occupation of their new area on the morning of November 22. That same afternoon the enemy began an intensive bombardment of the American-held Hill 355 which spread to the area of the Royal 22ᵉ Régiment—particularly "D" Company. The shelling continued throughout the night. Rain changed to snow and the resulting mud made it extremely difficult for the engineers to keep open the roads to the beleaguered companies.

Next day the enemy stepped up the shelling. This was followed late in the afternoon by an attack on both positions. The Canadian company held its ground, but by early evening the bulk of Hill 355, which had borne the main brunt of the assault, was in enemy hands. In the meantime the Chinese had also reoccupied Hill 227.

The permanent loss of Hill 355 would have been a serious threat to the United Nations forces. It would have given the enemy control of the lateral road running through the American sector and would have made the Canadian positions untenable. Already the enemy presence on Hills 227 and 355 had left the R22ᵉR in danger of being encircled. During the nights of November 23-24 and November 24-25 the shelling and attacks continued in increasing intensity on both fronts, as Hill

a. Royal Canadian Engineers examine Chinese enemy box mine, October 1951.
b. Korean combat scene with R22ᵉR rifleman and Bren-gunner, October 1951.

b.

355 passed from Chinese to American to Chinese hands and back again. Each time the enemy gained control the R22ᵉR was exposed to further attack. On the evening of November 25, after four days and nights of continual shelling, Hill 355 was again in American hands, and "D" Company of the Royal 22ᵉ Régiment, although in a state of near exhaustion, still held its ground.

As cease-fire negotiations were renewed, orders were given on November 27 that no further fighting patrols were to go out and that artillery action was to be restricted to defensive fire and counter-bombardment.

the line. In reserve, the Canadians spent the next seven weeks primarily engaged in establishing defensive positions on *Wyoming* and *Kansas*.

On March 9-10 the 25th Brigade moved back into the line in positions astride the Sami-chon River with two battalions (the RCR and PPCLI) west of the valley and one (R22ᵉR) to the east. The coming of spring saw an increase in enemy activity. On the night of March 25 the Chinese launched a strong, well co-ordinated raid against Hill 132. The attack fell on a 1st PPCLI platoon which was holding the hill. The surrounded Patricias held their position until the Chinese finally withdrew some two and one-half hours later.

a.

SF3477

b.

SF2857

Operations – December 1951 to April 1952

The partial cease-fire soon proved one-sided and temporary as the enemy continued to shell and to send out patrols. The Commonwealth artillery was soon authorized to resume normal activities and restrictions on the infantry were gradually lifted as well. The brigade program called for a fighting patrol from each unit as well as for nightly reconnaissance and ambush patrols. The objectives were to obtain information about enemy positions in preparation for raids and to take prisoners. On the night of December 10, 1951 a company of Patricias carried out a raid behind Hill 277, and the RCR sent a 35-man fighting patrol against Hill 166. Both patrols reached their objectives and succeeded in obtaining useful information concerning enemy defences.

In mid-January 1952 the 25th Brigade went into divisional reserve ending four and one-half months in

Holding the Line

First General Rotation

From the winter of 1951-1952 until the end of hostilities in 1953 a period of static warfare set in. United Nations forces held and improved their positions, reinforced their defenses, patrolled in no-man's-land, and repulsed enemy attacks. It became a war of raids and counter-raids, booby traps and mines, bombardments, casualties, and endless patrolling. There were to be no major battles, no large-scale operations: the end to the conflict rested in the hands of the negotiators in the Korean town of Panmunjom.

The rotation of the remaining infantry battalions and other fighting units of the original 25th Brigade began in mid-April. The 2nd Battalion Royal 22ᵉ Régiment and the 2nd Battalion Royal Canadian Regiment were relieved by their 1st Battalions, newly arrived from Canada, while the 1st Royal Canadian Horse Artillery took over the gun lines. "C" Squadron, Lord Strathcona's Horse remained in Korea until June when it was replaced by its "B" Squadron.

On April 27, 1952 the new Brigade Commander, Brigadier M.P. Bogert, took over command of the 25th Brigade on the *Jamestown* line. This line had been altered in mid-April when the Commonwealth Division took over responsibility for Hill 355 while the area west of the Sami-chon River passed to the Americans.

Patrolling – May to June 1952

During May and June 1952 the units of the Commonwealth Division patrolled vigorously. A policy laid down by 1st Corps Headquarters required each forward battalion to carry out one strong fighting patrol per week against known enemy positions. At least one prisoner was to be taken every three days. This difficult and costly task was later discontinued.

While the details of these patrols are too numerous to be recounted here, there were certain similarities in tactics and contacts. The raiding group varied from a 20-man patrol to an entire company and heavy supporting fire was provided by artillery and tanks. In the Canadian sector patrols first crossed their own wire and minefields at known gaps, then crossed the valley to the hills opposite. Firm bases were established as close to the objective as possible for defence and artillery. The

actual raiding party then moved on to the enemy-held objective where it usually came under mortar and small arms fire. The objectives themselves were characterized by a maze of trenches which were often connected to tunnels through which the enemy could readily move. In this maze it was possible to inflict casualties, but the patrol itself was subject to attack and found it extremely difficult to take prisoners.

One such patrol was carried out by the 1st PPCLI on the night of May 20-21. The party of 33 was divided into a firm base group, a covering fire section and a fighting section. Supporting fire was provided by a troop of Lord Strathcona's Horse, a troop of the 1st Regiment RCHA, and the unit mortar and machine-gun platoons. A firm base was established on the floor of the Nabu-ri valley at 11 o'clock; the main body passed through at midnight. The covering fire section then took up positions at the base of the hill below the enemy's trenches. As the fighting section continued up the slope the enemy opened fire. The patrol group was outnumbered and had to withdraw. The patrol sustained one killed and four wounded; enemy losses were estimated at seven wounded or killed. No prisoners were taken.

In addition to fighting patrols directed at enemy territory, the Canadians also carried out a number of other types of patrols. Ambush patrols, standing patrols, and reconnaissance patrols were carried out in formidable numbers to seize prisoners, detect enemy movements, and serve as sources of intelligence about the location of enemy weapons.

At the end of May 1952 the Commonwealth Division was ordered to furnish two rifle companies—one British and one Canadian—to undertake guard duties over prisoners of war on the island of Koje. A Canadian unit of the RCR served on Koje until June 10.

At the end of June the 25th Brigade went into divisional reserve. In addition to the normal activities of reserve, working on the defences of *Kansas* and *Wyoming* and refresher training, they engaged in an operation known as "Noah's Ark". The monsoon rains of July and the consequent rise in the Imjin River placed the bridges *Teal* and *Pintail* in danger of collapse. In spite of their efforts *Teal* was washed out. However by mid-September, when the flood abated, *Pintail* was still in use. *Teal* was being restored.

a. Troops of 1st R22ᵉR on reconnaissance patrol. *b.* Lord Strathcona's Horse "B" Squadron, July 1952. *c.* Personnel of R22ᵉR discussing peace rumours in trench near Imjin River, June 1951.

1st PPCLI band member.

The Canadians, meanwhile, had returned to the line on August 10. The return to the line was marked by an important change in the overall situation. During the summer of 1952 the enemy had gradually become more aggressive. He moved into no-man's-land, sent out patrols, raided forward positions and increased the volume of shelling on the forward positions. This increased activity was to reach formidable proportions in October and November.

The brigade front lay between what had been the villages of Paujol-gol and Kojanharisaemal with the R22ᵉR on the left, the PPCLI on the right, and the RCR on Hill 355 in the centre. During the next three months the 25th Brigade was to experience heavier shelling and mortaring than in any other period in the line. Torrential rains would silence enemy artillery, but the water caused bunkers to collapse or become unserviceable. When the rain stopped the shelling would resume. Occupied with improving the defences, the Canadians did not patrol in any strength until the end of August when PPCLI and RCR fighting patrols crossed the valley.

During the first part of October heavy fighting took place on the American front to the east, but the Commonwealth Division remained comparatively undisturbed. This was not to last. Hostile shelling increased and resistance to patrols intensified. A raid against Hill 227, by "B" Company of the RCR on October 12-13, was ambushed short of its objective. Three nights later a 25-man patrol of the Patricias, clashing with a Chinese platoon in the area of Hill 217, suffered two killed and eight wounded. The increased enemy activity, particularly in the vicinity of Hills 227 and 217, indicated that the Chinese were up to something in that sector of the front. Their intentions became quite clear a week later.

The Attack on Hill 355

Hill 355, known as "Little Gibraltar", had been the scene of bitter fighting since the area was first occupied during Operation *Commando* in October 1951. The most notable Canadian action had been the defence by the 2nd R22ᵉR of the positions on the Hill 227 saddle, on November 22-25. Since early September 1952 the Royal Canadian Regiment had guarded the Hill. Five

company areas lay within its boundaries.

The enemy prepared for the attack with a heavy bombardment for the first three days of October, primarily on Area II which lay immediately east of the saddle between Hill 355 and Hill 227. Between October 17 and 22, the bombardment was renewed. Consequently, when "B" Company took over the area on October 22, it found the defences badly damaged, telephone wires cut and weapon pits caved in. Enemy shelling made effective work on defences and lines of communication impossible.

Shortly after six o'clock on October 23, the enemy put down another heavy artillery concentration—and then attacked. Under heavy attack and with communications cut off, "B" Company withdrew to "A" Company's area. The battalion commander ordered tank and mortar fire on the lost areas as well as on Hill 227, on the area west of Hill 355 and on the valley to the north. He then called for a counter-attack. The counter-attack by "D" Company went in towards midnight. The left-hand platoon encountered considerable resistance and suffered some casualties, but succeeded in reoccupying the position.

The divisional front was relatively quiet for the remaining days of the brigade's tour of duty. Thus ended one of the brigade's most difficult periods of the war, and certainly its most costly—in less than three months the RCR had suffered 191 casualties, the PPCLI 18, and the R22ᵉR 74.

Second Autumn Rotation – November 1952

On November 3, 1952, the 3rd PPCLI replaced the 1st Battalion in the order of battle and began the last phase of their training before going into the line. They were also responsible for counter-attacks to retake any positions captured by the enemy from the Black Watch of the 29th British Brigade. As it turned out, a rehearsal for a counter-attack developed into the real thing on the feature known as the "Hook". The Hook was to be the scene of many Commonwealth casualties in the months ahead.

Flowing from the west an unnamed tributary of the Sami-chon River divided the opposing forces in the Hook area. The valley of this tributary is dominated on the south side by a crest line which runs from north-west

a. Soldier of 1st RCR awaiting medical aid after night patrol, June 1952. b. Personnel of Royal Canadian Corps of Signals tracing line break, June 1952. c. Personnel of 1st RCR after attack on "Little Gibraltar", October 1952.

to south-east. Hill 146 forms the eastern end of the crest line. The Hook marks the western limit of the hill system. The lower Sami-chon valley could be observed from the Hook; it was therefore subjected to frequent enemy attacks.

The British Black Watch were guarding the hill line on the night of November 18 when the enemy attacked in battalion strength and succeeded in gaining a foothold on the Hook. As the Black Watch company from Hill 146 counter-attacked, the 3rd PPCLI (and a troop of Lord Strathcona tanks) came forward to reinforce the unit and to take over defence of Hill 146. By morning the Black Watch had cleared the main position and the Patricias occupied the feature without difficulty. The

Patricias remained on the Hook for several days before rejoining the battalion in training for the brigade's return to the line.

At the end of November the 1st Commonwealth Division began a general redeployment of forces. Instead of two brigades in line each with three battalions forward, all three brigades were in line each with only two battalions forward. This meant that each brigade commander had a narrower front to control and each brigade had its own reserve battalion for counter-attack and intra-brigade reliefs.

As the Canadians moved back into line on the left of the division front, Brigadier Bogert assigned the Royal 22^e to the Yongdong feature east of the Sami-chon

a.

a. Soldier of 2nd PPCLI showing imitation ice cream cone to Korean children. b. Personnel of 1st R22eR in front line position, December 1952. c. Personnel of RCE placing charges during road construction operations, July 1952.

River and the Patricias to the Hook. The RCR were in reserve except for one company attached to the Patricias.

The next two months were relatively quiet. The most important activity was the improvement of defensive works particularly on the Hook. The importance of effective tunnels and trenches had been demonstrated in the October attacks on Hill 355 when Chinese shelling had so destroyed defences that resistance was impossible. In contrast, in the November 18-19 attacks on the Hook, when the open defences were flattened, the Black Watch defenders were able to take shelter in existing tunnels and call down artillery fire on the enemy. They, thereby, prevented the position from being overrun by the assaulting infantry. During this period in the line, trenches were deepened and extended, command posts, observation posts and bunkers were reinforced, and additional earthworks of all types were constructed. The tunnelling program was carried out by the greater part of the 23rd Field Squadron Royal Canadian Engineers together with three companies of South Korean labourers. The work was both difficult and dangerous. Cutting through solid rock and frozen ground, the Engineers added 112 metres to existing tunnels by the end of January.

Meanwhile, although enemy attacks and active patrolling continued, both were on a lesser scale than before. The Canadians did not engage in any company raids in this period, but standing, reconnaissance, ambush and fighting patrols, together with frequent "stand-to's" under warning of enemy attack, kept the force vigilant. However, to the right of the division front the 28th Brigade was not so fortunate. Several violent encounters in the Hill 355-227 area resulted in rather heavy casualties.

At the end of December the PPCLI and the RCR exchanged positions. The R22eR remained on the Yongdong feature until January 30. The RCR's month on the Hook was also quiet. Although the unit patrolled actively, few contacts were made, and none of these resulted in heavy casualties.

On January 30, 1953 all of the 1st Commonwealth Division (except the artillery) went into reserve for the first time since its formation in July 1951. The divisional artillery remained forward in support of the relieving American units.

The 1st Commonwealth Division remained in reserve until April 8 during which time it carried out training exercises on battalion, brigade and divisional levels. Two important developments occurred during this period. The first was the addition of South Korean soldiers to the Commonwealth Division. The other was the beginning of the second major rotation of Canadian units in Korea.

Korean Personnel With the Canadian Forces (Katcoms)

Shortly before its return to the line in the spring of 1953, the Commonwealth Division was reinforced by 1,000 Korean soldiers, known as "Katcoms" (Korean Augmentation to Commonwealth). While South Koreans had served with the Commonwealth forces from the early stages of the war, their role had been of a non-combative nature—as porters, messmen, interpreters. A Korean Service Corps for this purpose had been formed and a regiment had been attached to the 1st Commonwealth Division. Meanwhile, the United Nations command had undertaken the training of Korean nationals as infantry reinforcements. There were now more of these basically trained troops than

b.

c.

could be equipped and absorbed into existing Korean units. South Korean soldiers were already serving in American formations.

In March 1953 the first of the Katcoms were integrated into the Canadian battalions. They were paid by the Korean Government, but equipped, uniformed and armed by the units which accepted them. Although difficulties were encountered due to differences in language, outlook, customs and pay problems, the scheme worked reasonably well and provided valuable additional manpower.

Rotation 1953

The beginning of the Katcom program coincided roughly with the division's return to the front and with the second large rotation of Canadian units. The units which took over included: the third battalions of the Royal Canadian Regiment and the Royal 22e Régiment, "A" Squadron Lord Strathcona's Horse, 81st Field Regiment RCA, 59th Independent Field Squadron RCE, and service units.

On April 6, 1953, the Commonwealth Division returned to the line in positions on Hill 355 and across the Sami-chon River to the Hook. The 25th Brigade, now under the Command of Brigadier J.V. Allard, was in the central sector. This was to be the last period of front line duty of the Korean war. Although the final months of the campaign were far from quiet, only one strong attack came against the 25th Brigade. On the night of April 19, the 3rd RCR came into line for the first time on the southern Hill 187. The position resembled a great hand with Hill 187 forming the base of the thumb from which finger-like ridges ran westward. The Commanding Officer immediately set about to improve defences and to increase patrolling in no-man's-land where the enemy had taken the initiative. While enemy patrolling and shelling had increased in the area, there was no real warning of the attack that was to fall in force on "C" Company positions.

On the night of May 2-3 an "A" Company patrol moved through "C" position at 8:30 p.m. intent on ambushing any enemy patrols which came into the area. Two hours later the patrol suddenly came under enemy attack. The patrol leader was killed and half of his men were either killed or wounded. The remainder

a.

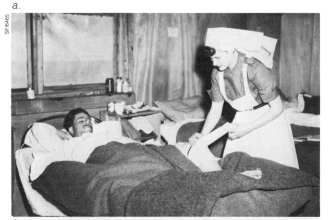

b.

c.

a. Nursing sister treating soldier at 25th Canadian Field Dressing Station, RCAMC, April 1953. b. Sappers of RCE, March 1953. c. Troops of 2nd RCR and tanks of Lord Strathcona's Horse, February 1953.

a. Personnel of PPCLI, June 1953. *b.* Final game of 25th Canadian Infantry Brigade hockey championship series, "Imjin Gardens", February 1953.

a.

b.

were ordered to withdraw. A "C" Company platoon was dispatched to engage the enemy. A forward section of this platoon also soon found itself in a losing fight and struggled to withdraw. At midnight the enemy put down a heavy bombardment and followed it with an infantry assault. Intensive artillery fire was then called down against this attack; at half past one the enemy began to withdraw; the Canadians re-occupied their positions.

The remaining 12 weeks of the war were relatively uneventful for the Canadian infantry, although the gunners had a busy time.

Fighting in Korea finally came to an end when the Korea Armistice Agreement was signed at Panmunjom on July 27, 1953.

Air and Naval Support

While the account of hostilities in Korea is predominantly an account of land forces combatting the enemy on hills, swamps and rice fields in torrential rains and snow, it must be appreciated that every phase of the Korean campaign was a combined operation in which United Nations forces on the sea and in the air played a prominent and vital role. A senior Communist delegate at the armistice discussions in August 1951 stated that "Without the support of . . . your [UN] air and naval forces, your ground forces would have been driven out of the Korean peninsula by our powerful and battle-skilled ground forces". There can be no doubt that the air and naval support was vital to United Nations achievements in Korea.

Air Support

From the very early stages of the war, the United Nations forces enjoyed complete supremacy in the air over the battlefield. The North Korean air force was destroyed during the summer of 1950, and the entry of Chinese forces into the war in November of the same year did not reverse the situation. Their short-range Russian-built planes required airfields in Korea and these were successfully destroyed by US bombers. UN heavy bombers struck as far north as the Yalu River, the boundary with Manchuria, and inflicted heavy casualties and damage on airfields, bridges, railways and tunnels. The fighters hammered the enemy's forward positions and forced him to move supplies and troops at night, while air reconnaissance aided UN ground troops in their operations.

The Canadian contribution to the air effort began in the early stages of the war when No. 426 Transport Squadron, RCAF, was attached to the US Military Air Transport Service. By June 1954, when this assignment ended, this unit had flown 600 round trips over the Pacific, carrying more than 13,000 passengers and 3,000,000 kilograms of freight and mail without loss.

Twenty-two RCAF fighter pilots and a number of technical officers served with the US Fifth Air Force. The Canadians were credited with 20 enemy jet fighters destroyed or damaged, as well as the destruction of several enemy trains and trucks.

a.

Naval Support

The fact that Korea is a peninsula offered unusual scope for naval support. In providing that support a total of eight ships of the Royal Canadian Navy joined their United Nations and Republic of Korea navy colleagues performing a great variety of tasks. They maintained a continuous blockade of the enemy coast, prevented amphibious landings by the enemy, screened carriers from the threat of submarine and aerial attack, and supported the United Nations land forces by bombard-

ment of enemy-held coastal areas. In addition, they protected the friendly islands and brought aid and comfort to the sick and needy of South Korea's isolated fishing villages.

The destruction of the North Korean air force and her small gun-boat navy in the early stages of the war virtually eliminated the danger of enemy attacks on United Nations' ships. There remained, however, the danger of enemy mines and gun-fire from shore batteries as well as the hazards contributed by the geography and climate of the area.

On July 5, 1950, only 11 days after the outbreak of hostilities, HMC Ships *Cayuga*, *Athabaskan* and *Sioux* sailed out of Esquimalt under the command of Captain J.V. Brock. On July 30, local time, the three Canadian destroyers entered Sasebo harbour, Japan, ready to join in the battle for the Pusan bridgehead in Korea. Before the end of the war in 1953, five other Canadian ships would also serve with the Canadian Destroyer Division, Far East, in the Korean campaign—HMC Ships *Nootka*, *Iroquois*, *Huron*, *Haida* and *Crusader*.

Since the Canadian naval force in Korea consisted of destroyers only, it was usually necessary to operate them as separate units. It was not often, therefore, that the Canadian ships served side by side in Korean waters. They were assigned primarily to the British Command on the west coast blockade, but also took their turns serving in east coast operations.

Upon arrival the Canadian destroyers were employed in escort and patrol duties—the most urgent immediate need being the rapid movement of troops to the besieged Pusan bridgehead. In August they moved to the west coast of Korea where they also took part in the bombardment of enemy positions and assisted South Korean troop landings on North Korean islands. All three ships operated together for the first time in September 1950 in support of the Inchon landings. The Canadians, assisted by a few light South Korean vessels, formed a task group assigned to protect a flank of the invasion force. These duties were carried out without encountering any enemy opposition.

Following the Inchon landings and United Nations successes in the fall of 1950, it appeared that the war would soon be over. Then, the Chinese intervened in the conflict and the situation was reversed. In December

a. Canadians of RCAF No. 426 (Thunderbird) Squadron in cockpit of North Star on the way to Korea, April 1951.
b. *Iroquois* from *Huron* during Korean operations.

b.

orders were given to evacuate Chinnampo, the port of Pyongyang, and to prepare for a withdrawal from Inchon.

Captain Brock's Task Element, the strongest naval force available in the area with six destroyers—the three Canadian ships, two Australian and one American—was assigned to protect the withdrawal fleet. The military situation was serious. There was danger that the enemy might attack the port. Therefore, the destroyers were ordered to enter the harbour and be prepared to supply gun-fire support.

Upon receipt of an emergency message from Chinnampo late on December 4, 1950, Captain Brock ordered the six destroyers to undertake the night passage up the Taedong River to the port situated some 32 kilometres up-river. It was a hazardous undertaking. The channel was narrow and shallow and the North Koreans had seeded it with mines. Two ships ran aground and were forced to turn back for repairs. The remaining four destroyers, under the lead of *Cayuga*, proceeded slowly and cautiously up the channel in an especially nerve-wracking journey in the dark and at low tide. After completing the dangerous operation, the force stood guard against enemy attack which fortunately did not come.

When the troops were safely evacuated the destroyers carried out a bombardment of the port to destroy railway lines, dock installations and huge stocks of strategic materials which had to be left behind. By the next day, December 6, 1950, all ships were clear of the channel and Captain Brock could report his mission successfully completed.

From November 20, 1950 to early January 1951, a period when the United Nations land forces suffered serious reverses, the Canadian ships remained on almost continuous duty on the west coast. In addition to carrier screen duty, they escorted shipping, carried out blockade patrols and provided anti-aircraft protection and general support for the forces evacuating Inchon. On December 22, HMCS *Athabaskan* was relieved for repairs and general maintenance. *Sioux* returned to Sasebo on January 2 to prepare for her return to Canada. She was replaced by HMCS *Nootka*. *Cayuga*, after setting a Commonwealth record by completing 50 days on patrol, joined the others in Sasebo on January 8.

In mid-January 1951 the Canadian destroyers came under enemy fire for the first time in the Korean conflict when they joined in a UN bombardment of the port of Inchon then in enemy hands. As HMC Ships *Cayuga* and *Nootka* were leaving Inchon harbour on January 25 the enemy opened fire upon them. Fortunately, the enemy gunnery was inaccurate. The ships then reversed course and silenced the shore batteries with their 4-inch guns. *Cayuga* again came under enemy fire in a return to Inchon two days later, but once again escaped injuries as she carried out the bombardment.

Except for these clashes, the first months of 1951 were relatively quiet for the Canadian ships. Much time was spent on carrier screening. This was arduous, but generally uneventful work. The destroyers were there to guard against air and submarine attacks and the crews had ever to be vigilant.

A number of changes of Canadian ships occurred during the spring and summer of 1951. In March HMCS *Cayuga* returned to Canada, replaced by HMCS *Huron*. In May HMCS *Sioux* returned to the theatre to relieve *Athabaskan*. In July and August *Nootka* and *Huron* departed for Canada and *Cayuga* and *Athabaskan* returned for a second tour of duty.

The period of land offensive and counter-offensive, from April to June 1951, was also a busy one for the Canadian ships as they began to operate more frequently on the east coast and in blockade patrols. Patrol routine usually included bombarding railways, roads, gun emplacements and numerous other targets.

On the west coast, protecting the strategically valuable islands became an important part of the duties of those task units. On the east coast, Wonsan harbour became the pivotal point of naval operations.

During the later months of 1951, while truce negotiations were intermittently carried out, the naval and air forces saw an increase in action in the face of enemy attacks on the islands. The difficulty of island defence was illustrated by the fall of Taehwa. This island, lying deep in the Yalu Gulf less than two kilometres from two small Communist-held islands, was defended by two US Army officers and a small force of Korean guerrillas. For several months the Canadian destroyers had helped supply and guard the island. Then, on the night of November 30, 1951, a flotilla of small wooden junks

NK/702

OC/310-1

NK/665

NK/649

CU/773

CA/60

a. Crew of South Korean fishing junk being interrogated by *Nootka* officers, June 1951.
b. *Athabaskan* refuelling at sea en route to Korea, July 1950.
c. *Crusader* en route to Korea.

d. Bombardment by *Nootka* on enemy target, a railway trestle, May 1951. *e.* Night bombardment by *Nootka*, Songjin, May 1951. *f.* Korean junk passing lines to *Cayuga*, August 1950.

a.

b.

c.

d.

e.

f.

a. Inspecting ice
conditions on
superstructure of *Nootka*
off Korean coast,
February 1952. *b. Sioux*
in icefield during patrol
off Korean coast,
February 1952.

a.

b.

and rubber boats drifted across to the northern beaches. The Canadian destroyers with their sophisticated radar were not on duty in the area that night. By the time the boats were spotted it was already too late. The well-armed Communist troops quickly overran the guerrilla defences.

At the beginning of 1952 the outlook in Korea was dismal as the truce talks bogged down. Naval operations, however, continued as usual throughout the year. Canadian destroyers were engaged primarily in island defence work, carrier screening and inshore patrols. On the west coast, the Haeju area in particular, became the scene of considerable Canadian naval activity. Extending from the eastern edge of the bay of Haeju-man to the island of Kirin, the area is a confused mass of islands and heavily indented peninsulas. For the *Nootka* (which had returned to the theatre to relieve *Sioux* in February), this area was to be the scene of a particularly busy period. Operating in the approaches to

Haeju, in the latter half of July and the first days of August, she landed intelligence parties daily, and on seven occasions came under enemy shell-fire. Fortunately no casualties resulted.

It was in October 1952 that the Royal Canadian Navy suffered its first and only battle casualties of the war. While on an east coast patrol HMCS *Iroquois* received a direct hit from a shore battery. Three men were killed and ten were wounded.

In November 1952 *Nootka* and *Iroquois* left for Canada; *Athabaskan* returned to the theatre for a third tour, and HMCS *Haida* arrived for her first. *Haida* was the eighth Canadian destroyer to operate in Korean waters.

On the east coast, where the rugged terrain forced the railroads to skirt the shore in many places, enemy trains became a favourite target for naval guns. When a "Trainbusters' Club" was formed in mid-1952, the Canadian ships willingly participated. HMCS *Crusader* distinguished herself with a record four trains to her credit. Altogether, Canadian ships accounted for eight of the 28 trains destroyed—an amount out of proportion to the number of Canadian ships and their length of service in the area.

a. A new supply of ammunition is passed over to *Haida* at sea from a US destroyer, June 1953. b. *Cayuga's* crew as they depart from Korea, February 1952.

Epilogue

On July 27, 1953 the Korea Armistice Agreement was signed at Panmunjom, ending three years of fighting. The truce which followed was an uneasy truce and Korea remained a divided country. Yet the United Nations intervention in Korea was a move of incalculable significance. For the first time in history an international organization had intervened effectively with a multinational force to stem aggression. The United Nations emerged from the crisis with enhanced prestige.

Both sides had reached their peak strengths just prior to the end of hostilities. On the Communist side the total manpower has been estimated at 1,155,000, of whom 858,000 were Chinese. In addition there were perhaps some 10,000 Soviet troops in various non-battlefield roles. The United Nations Command consisted of 272,000 South Koreans and 266,000 from the 16 nations represented in the formation. In addition there were thousands more employed along the lines of communication and in quasi-military roles.

Altogether 26,791 Canadians served in the Korean conflict, and another 7,000 served in the theatre between the cease-fire and the end of 1955. United Nations' (including South Korean) fatal and non-fatal battle casualties numbered about 490,000. Of these 1,558 were Canadian. The names of 516 Canadian war dead are inscribed in the Korea Book of Remembrance.

Although the Canadian contribution was but a small portion of the total UN effort, it was nevertheless considerable. Canada made a larger contribution in proportion to her population than most of the nations which provided troops for the international force. It also marked a new stage in Canada's development as a nation. Canadian action in Korea was followed by other peacekeeping operations which have seen Canadian troops deployed around the world in new efforts to promote international freedom and maintain world peace.

Christmas 1952 saw all three Canadian ships together in harbour for the first time since the beginning of hostilities. Unfortunately, before the year was over, they were once more back on patrol enduring the hazards of enemy shore batteries, the dangers of inshore navigation and the vicious unpleasantness of winter weather on the Yellow Sea.

During the last six months of the war, it was "business as usual" for the Canadian destroyers. They were engaged in the familiar carrier screening and inshore patrols on the west coast, and in the more dangerous and exciting east coast missions.

Following the signing of the Armistice on July 27, 1953, the UN naval forces remained in the theatre to evacuate the islands to be returned to North Korea and to carry out routine operational patrols. The last Canadian destroyer left the Korean theatre in September 1955.

The Royal Canadian Navy's contribution to the United Nations effort in Korea was considerable. With a total of only nine destroyers, the RCN had maintained a force of three destroyers in the theatre throughout the campaign. By the time the Armistice was signed, 3,621 officers and men of the RCN had served in Korea.

United Nations Memorial Cemetery

In January 1951, various battlefield cemeteries that had been set up behind the lines were concentrated at Tang-gok, a suburb of Pusan. The land for the cemetery was granted to the United Nations by the Republic of Korea as a tribute to all those who had laid down their lives in combatting aggression and in upholding peace and freedom. There are national sections marked by flags, and the graves have permanent headstones, each with a bronze plaque giving the name and unit of the deceased.

There are 2,267 servicemen buried in the United Nations Memorial Cemetery. Of these 1,588 were Commonwealth soldiers, including 378 Canadians.

A stone memorial with bronze panels was erected to commemorate Commonwealth soldiers who died and whose burial places are unknown. Sixteen Canadians are listed on the bronze plaques of the memorial on which the following inscription appears:

On this memorial are inscribed the names of men from Britain, Canada, Australia, New Zealand and South Africa who died in the Korean War and have no known grave. They died with men of other countries fighting to uphold the ideals of the United Nations.

a. Soldier of PPCLI kneels at grave of fallen comrade in United Nations Cemetery, April 1951. *b.* United Nations Memorial Cemetery, Pusan, Korea.

Canadian Forces Participation in the United Nations Operations, Korea, 1950-1953

Royal Canadian Navy (RCN)
  HMCS *Athabaskan*
  HMCS *Cayuga*
  HMCS *Sioux*
  HMCS *Nootka*
  HMCS *Huron*
  HMCS *Iroquois*
  HMCS *Crusader*
  HMCS *Haida*

Canadian Army
  Lord Strathcona's Horse (Royal Canadians)
  2nd Field Regiment, Royal Canadian Horse Artillery (RCHA)
  1st Regiment, Royal Canadian Horse Artillery (RCHA)
  81st Field Regiment, Royal Canadian Artillery (RCA)
  The Corps of Royal Canadian Engineers (RCE)
  The Royal Canadian Corps of Signals
  The Royal Canadian Regiment (RCR)
    2nd Battalion
    1st Battalion
    3rd Battalion
  Princess Patricia's Canadian Light Infantry (PPCLI)
    2nd Battalion
    1st Battalion
    3rd Battalion
  Royal 22e Régiment (R22^{e}R)
    2nd Battalion
    1st Battalion
    3rd Battalion
  The Royal Canadian Army Service Corps (RCASC)
  The Royal Canadian Army Medical Corps (RCAMC)
  The Royal Canadian Dental Corps
  Royal Canadian Ordnance Corps
  The Corps of Royal Canadian Electrical and Mechanical
    Engineers (RCEME)
  Royal Canadian Army Pay Corps
  The Royal Canadian Postal Corps
  The Royal Canadian Army Chaplain Corps
  The Canadian Provost Corps
  Canadian Intelligence Corps

Royal Canadian Air Force (RCAF)
  No. 426 (Thunderbird) Squadron
  (in addition, 22 RCAF pilots flew with the U.S. Fifth Air
    Force)

Gouvernement du Canada
Anciens Combattants

Government of Canada
Veterans Affairs

SOUVENIRS DE VAILLANCE

Les Canadiens en Corée

1950-1953

Canadá

Rédaction : Patricia Giesler
Anciens Combattants Canada

Représentation graphique : Bytown Graphics

Photos : Archives nationales du Canada et le
ministère de la Défense nationale.
Les numéros de référence des Archives nationales figurent près des photos

Cartes géographiques : Direction — Histoire et patrimoine,
ministère de la Défense nationale.

Illustration de la page couverture : Bytown Graphics

Pour plus de détails : Wood, Le Lt-Col Herbert Fairlie,
Singulier champ de bataille. Les opérations en Corée et leurs
effets sur la politique de Défense du Canada. (Imprimeur de la Reine, 1966)

Disponible auprès de :
Anciens Combattants Canada
15ᵉ étage, 66, rue Slater
Ottawa (Ontario) K1A 0P4
www.vac-acc.gc.ca

Réimpression 2000

Nᵒ de catalogue : V32-30/1982
ISBN 0-662-52115-3

Imprimé au Canada

Table des matières

Soldat canadien et un
cultivateur coréen.

Introduction

Le 25 juin 1950, les forces armées nord-coréennes franchissaient le 38e parallèle pour pénétrer dans la République de Corée. Cet événement marquait le début des hostilités qui devaient faire rage pendant plus de trois ans dans ce pays que ses habitants avaient baptisé le «Pays du matin calme». L'importance de cette attaque démontrait qu'il s'agissait bien là d'une invasion en règle.

C'était la première attaque ouvertement lancée depuis la fondation de l'Organisation des Nations Unies (ONU) et la réaction de cet organisme revêtait une grande importance pour son prestige et sa crédibilité, en fait pour son avenir même. L'ONU déclara que cette invasion rompait la paix et 16 pays membres réunirent leurs forces pour combattre cette agression.

La participation du Canada, dépassée seulement par celles des États-Unis et de la Grande-Bretagne, témoignait de la volonté de notre pays de défendre les idéaux des Nations Unies et de prendre les armes pour sauvegarder la paix et la liberté. Au total, 26,791 Canadiens ont servi pendant le Conflit coréen et un autre groupe de 7,000 s'est joint aux effectifs sur le théâtre des opérations entre le cessez-le-feu et la fin de 1955. Les noms de 516 Canadiens morts au combat figurent dans le Livre du Souvenir sur la Corée.

La participation canadienne au cours de ces hostilités marquait un revirement dans notre politique traditionnelle. C'était le début d'une nouvelle ère de participation aux affaires internationales au cours de laquelle on assista au déploiement des troupes canadiennes autour du monde dans des équipes de trêve, des commissions de maintien de la paix et des forces d'urgence. Une nouvelle page de la fière histoire militaire du Canada était écrite.

Le présent ouvrage est dédié aux Canadiens qui ont servi dans les forces armées, dans les montagnes et les rizières, sur mer et dans les airs, pour freiner l'agression et rétablir la paix mondiale.

a. Le drapeau de l'ONU flotte sur la rive de la rivière Imjin près du pont *Teal*, février 1952.
b. Yang-Do, Corée, juin 1952.

Déclenchement des hostilités

Historique du conflit

L'histoire de la Corée est marquée de conquêtes successives. Longtemps dominée par la Chine, la péninsule passa aux mains des Japonais en 1910, après la guerre entre la Russie et le Japon.

Au cours de la Seconde Guerre mondiale, les chefs d'État des pays alliés de la Grande-Bretagne, des États-Unis et de la Chine se rencontrèrent pour décider du sort du Japon et des territoires qu'il avait conquis une fois les hostilités terminées. Dans leur déclaration au Caire, en novembre 1943, ils promirent que «en temps opportun, la Corée deviendrait libre et indépendante».

Lorsque le Japon se rendit en 1945, l'Union soviétique occupait la Corée du Nord, tandis que les États-Unis contrôlaient la Corée du Sud. Le 38e parallèle fut choisi comme ligne de démarcation. On présumait que l'occupation serait temporaire et qu'un pays unifié et indépendant serait éventuellement formé.

Malheureusement, la défaite des puissances de l'Axe en 1945 n'apporta pas la paix au monde. Les alliés occidentaux se trouvèrent bientôt engagés dans une nouvelle lutte contre leur ancien allié, l'Union soviétique. Comme la guerre froide se répandait dans d'autres parties du monde, en Corée le 38e parallèle se transformait graduellement en une frontière permanente. Au nord, les Russes avaient établi un régime communiste qu'ils alimentaient en armes. Dans le sud, les États-Unis avaient installé une démocratie chancelante sous la gouverne de Syngman Rhee. Compliquée par la frontière artificielle, la situation politique et économique devenait de plus en plus désespérée et en 1946, Syngman Rhee réclamait la fin du morcellement de son pays.

En septembre 1947, les États-Unis annoncèrent leur intention de soumettre toute la question aux Nations Unies. L'Union soviétique répliqua en suggérant que les deux parties retirent leurs forces et laissent les Coréens libres de choisir leur propre gouvernement. Les Américains rejetèrent cette proposition qui aurait laissé les Sud-Coréens à la merci du Nord fortement armé; ils soumirent la question à l'Assemblée générale des Nations Unies.

Le 14 novembre 1947, l'Assemblée créa une com-

a.

mission temporaire sur la Corée afin de surveiller des élections libres par scrutin secret et de contrôler le retrait des forces d'occupation. Puisque les communistes refusèrent l'accès à la Corée du Nord à la commission, celle-ci reçut l'ordre de mettre en oeuvre le programme dans les parties du pays où elle pouvait se rendre. Le 10 mai 1948, des élections eurent lieu en Corée du Sud; le 15 août, le gouvernement de la République de Corée était formé. Ce gouvernement fut reconnu par l'Assemblée générale des Nations Unies qui recommanda le retrait des forces d'occupation et l'établissement d'une nouvelle commission des Nations Unies. L'Union soviétique créa immédiatement en Corée du Nord la «République démocratique populaire de Corée» sous le contrôle d'un chef communiste de guérilla, Kim Il Sung.

En décembre, l'Union soviétique annonça qu'elle retirait ses troupes de la Corée du Nord forçant ainsi les États-Unis à faire de même en Corée du Sud. L'armée sud-coréenne, munie d'armes portatives et de mortiers et dépourvue de chars, d'artillerie lourde ou d'avions, était laissée à la merci des forces nord-coréennes nombreuses et bien armées.

Comme les deux parties en cause réclamaient le droit de gouverner toute la Corée, il y eut des escarmouches à la frontière. Des patrouilles de la Corée du Nord commencèrent à envahir la République du Sud et la commission des Nations Unies donna à plusieurs reprises l'alerte d'une guerre civile imminente.

L'invasion et la réaction internationale

Le matin du 25 juin 1950, les Nord-Coréens lancèrent une invasion en force.

La réaction internationale à cette nouvelle, soit la première attaque ouvertement lancée depuis la fondation de l'Organisation des Nations Unies, eut la rapidité de l'éclair. À la demande des États-Unis, le Conseil de sécurité des Nations Unies se réunit dans l'après-midi du 25 juin. Il décida lors de cette assemblée que cette attaque armée rompait la paix, qu'il fallait immédiatement ordonner une cessation des hostilités et que les forces nord-coréennes devaient immédiatement se retirer au-delà du 38e parallèle. Heureusement, l'Union soviétique boycottait toutes les réunions des Nations Unies au sujet d'une autre question et, par conséquent, ne put exercer son droit de veto.

Il apparut bientôt que les Nord-Coréens n'avaient aucunement l'intention de se plier à cet ordre. Lorsque ces derniers descendirent vers le sud, le président Truman ordonna aux forces aériennes et navales américaines de soutenir les Sud-Coréens par tous les moyens possibles.

Ce même jour, le Conseil de sécurité de l'ONU adopta une seconde résolution qui recommanda aux pays membres des Nations Unies «d'apporter à la République de Corée toute l'aide nécessaire pour repousser l'assaillant et rétablir dans cette région la paix et la sécurité internationales». Il s'agissait en fait d'une déclaration de guerre contre les Nord-Coréens. Le 30 juin, le président Truman autorisait l'engagement des

a.

troupes américaines. D'autres pays membres de l'ONU offrirent des renforts et le Conseil de sécurité recommanda de placer toutes les troupes sous les ordres du même commandant. Un commandement des Nations Unies fut donc établi à Tokyo, et placé sous les ordres du général Douglas MacArthur des États-Unis.

Entre-temps, les Nord-Coréens avançaient rapidement dans les vallées et les rizières de la péninsule coréenne. Séoul, capitale de la Corée du Sud, fut envahie le 28 juin et dès la première semaine d'août, les forces armées de l'ONU furent confinées à l'intérieur du «périmètre de Pusan», petite région située dans le sud-est de la péninsule.

La réaction canadienne à l'invasion

Le gouvernement canadien, tout en ayant donné son accord de principe aux opérations déployées afin de freiner l'agression, n'engagea pas immédiatement ses forces dans le combat en Corée. À la fin de la Seconde Guerre mondiale, les forces armées du Canada virent leurs effectifs réduits au nombre réglementaire en temps de paix, effectifs spécialement entraînés pour défendre le pays. L'armée régulière (ou la force active comme on l'appelait alors) se composait de trois bataillons de parachutistes (la force mobile d'attaque), deux régiments blindés, un régiment d'artillerie de campagne et quelques unités fondamentales de soutien, telles que les transmissions et le génie. Les effectifs limités de la force active, 20,369 hommes de tous grades, signifiaient qu'il n'était pas possible de constituer un corps expéditionnaire sans gravement affaiblir les défenses du pays.

De plus, l'Extrême-Orient n'avait jamais été un secteur où le Canada avait des intérêts nationaux particuliers. Bien que l'opinion canadienne ait appuyé les mesures adoptées par l'ONU, la participation du Canada au conflit fut, de toute nécessité, fragmentaire.

C'est la Marine royale du Canada qui se porta la première au secours des forces menacées de l'ONU. Le 12 juillet 1950, trois destroyers canadiens (*Cayuga*, *Athabaskan* et *Sioux*) furent envoyés dans les eaux coréennes et placés sous les ordres des Nations Unies. C'est également en juillet qu'on assigna à un escadron de l'Aviation royale du Canada les travaux de transport aérien dont avait besoin l'ONU. L'escadron n° 426,

a. Hommes de troupe canadiens s'embarquant pour la Corée à bord d'un appareil *North Star* de l'escadron n° 426 (*Thunderbird*), ARC, février 1951. *b.* Canons du *Cayuga* tirant sur des batteries d'artillerie ennemies.

b.

Le brig. J.M. Rockingham donnant des instructions aux commandants de peloton et de compagnie du 1er btn du *PPCLI*.

composé de six *North Stars* (ce nombre passa plus tard à 12), assura régulièrement le transport entre la base aérienne McChord de Washington et celle de Haneda, Tokyo, pendant toute la campagne.

Le Contingent spécial de l'Armée canadienne

Le 7 août 1950, la crise s'aggrava en Corée et le gouvernement autorisa l'établissement du Contingent spécial de l'Armée canadienne (CSAC). Les membres de ce contingent devaient être spécialement entraînés et équipés de façon à pouvoir s'acquitter des obligations du Canada en vertu des dispositions de la Charte des Nations Unies ou du Traité de l'Atlantique-Nord.

Le CSAC devait être constitué et entraîné dans le cadre de l'armée régulière. Les nouveaux volontaires, dont bon nombre étaient d'anciens combattants de la Seconde Guerre mondiale, s'enrôlèrent pour une période de 18 mois ou pour une période plus longue au besoin, selon certaines conditions. Les nouvelles unités de campagne furent incorporées aux régiments existants de la force active. Les rangs seraient comblés, au besoin, par des membres de la force active.

Plus tard, comme les besoins de renforts outre-mer se maintenaient, d'importants changements furent apportés à la politique. Un système de roulement fut adopté qui comprenait les unités de la force active. Ces unités partirent pour la Corée et furent remplacées au pays par des volontaires recrutés parmi les anciens combattants de Corée de retour au pays.

Les premières unités du Contingent spécial comprenaient les seconds bataillons du *Royal Canadian Regiment (RCR)*, du *Princess Patricia's Canadian Light Infantry (PPCLI)* et du Royal 22e Régiment (R22eR), ainsi que l'escadron «C» du *Lord Strathcona's Horse (Royal Canadians)*, le 2e régiment de campagne du *Royal Canadian Horse Artillery (RCHA)*, le 57e escadron de campagne indépendant du Génie royal canadien, l'escadron des transmissions de la 25e Brigade d'infanterie canadienne, la 54e compagnie de transport de l'Intendance royale canadienne et la 25e ambulance de campagne du Service de santé royal canadien.

Le 8 août 1950, le brigadier J.M. Rockingham quitta la vie civile pour revenir à la vie militaire afin d'accepter le commandement de la Brigade d'infanterie canadienne mise au service des Nations Unies. Au cours de

la Seconde Guerre mondiale, le brigadier Rockingham avait commandé la 9e Brigade d'infanterie canadienne dans la campagne du nord-ouest de l'Europe.

Le débarquement à Inchon

À la mi-septembre 1950 la situation militaire en Corée avait changé dramatiquement. Les forces des Nations Unies, confinées dans le «périmètre de Pusan», résistaient toujours aux assauts soutenus lorsqu'une attaque amphibie audacieuse fut lancée à Inchon, le port de Séoul. Sur des navires partis du Japon, le 10e Corps américain débarqua le 15 septembre et terrassa rapidement toute résistance ennemie dans la zone portuaire. Le 26 septembre, Séoul était repris. Entre-temps, la 8e Armée américaine était sortie du «périmètre de Pusan» pour se rallier au 10e Corps. À la fin de la première semaine d'octobre, ils avaient repoussé l'ennemi en déroute au-delà du 38e parallèle.

Les forces des Nations Unies se déplacèrent alors vers le nord, franchirent la frontière nord-coréenne, prirent Pyongyang, la capitale, et se dirigèrent vers le fleuve Yalu, frontière entre la Corée du Nord et la Chine.

Après les débarquements d'Inchon et les succès des Nations Unies de septembre et d'octobre, la fin de la guerre en Corée semblait imminente. Ces événements

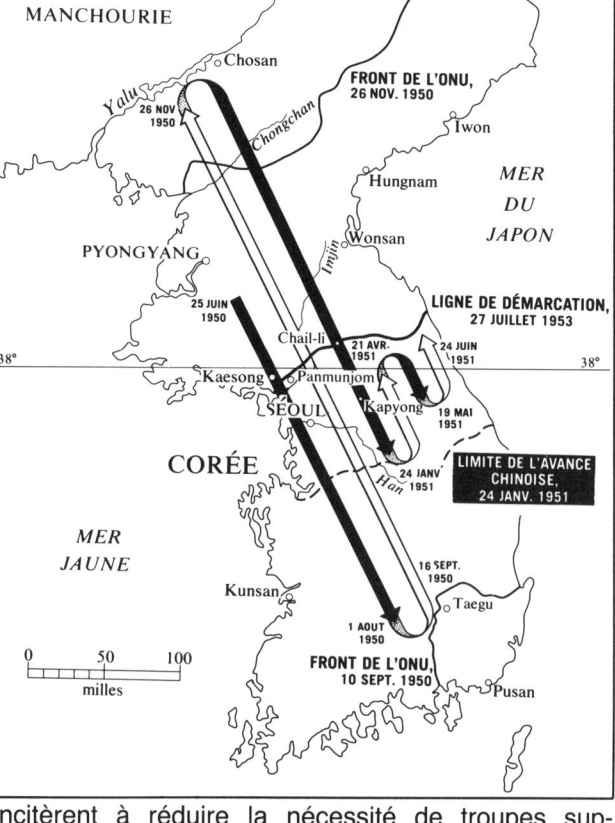

Hommes de troupe du 2ᵉ btn du *PPCLI* en patrouille, mars 1951.

try, sous le commandement du lieutenant-colonel J.R. Stone. Le 25 novembre, les *Patricias* s'embarquèrent pour la Corée avec un effectif de 927 hommes, y compris un élément administratif en surplus.

On avait prévu que le bataillon (qui n'avait encore suivi aucun entraînement poussé sérieux) serait prêt au combat vers le 15 mars 1951. Mais il se produisit que l'unité se rendit au front un mois complet plus tôt et connut ses premières pertes dans les collines de la Corée le 22 février 1951.

L'intervention chinoise

Lorsque les Canadiens quittèrent Seattle le 25 novembre 1950, la guerre en Corée semblait tirer à sa fin. Lorsqu'ils débarquèrent à Yokohama le 14 décembre, la situation avait complètement changé. La Chine communiste était intervenue.

Vers la fin d'octobre 1950, six armées chinoises avaient déjà franchi le fleuve Yalu et avec un effectif d'environ 180,000 hommes, s'étaient concentrées devant la force des Nations Unies qui avançait. Menés à la faveur de la nuit dans le plus grand secret, ces vastes mouvements de troupes chinois avaient échappé à la surveillance des troupes de front et des unités de reconnaissance aérienne des Nations Unies. On n'avait pas cru des rapports de prisonniers non confirmés d'un rassemblement massif de troupes. Le 27 octobre, au moment où des milliers d'hommes de troupes chinois

incitèrent à réduire la nécessité de troupes supplémentaires. Il fut donc décidé de limiter la participation canadienne à un seul bataillon affecté aux fonctions d'occupation. Les autres unités du CSAC continueraient d'être entraînées à Fort Lewis (Washington) au cours de l'hiver imminent. Le déplacement vers Fort Lewis fut marqué par la tragédie lorsqu'un train transportant des hommes de troupe du 2ᵉ régiment de la *Royal Canadian Horse Artillery* entra en collision frontale avec un autre train le 21 novembre. Dix-sept soldats furent tués.

À Fort Lewis, les unités constituèrent la 25ᵉ Brigade d'infanterie canadienne, appelation qui servit généralement à désigner le Contingent spécial de l'Armée canadienne.

Le bataillon choisi pour servir en Corée fut le 2ᵉ bataillon du *Princess Patricia's Canadian Light Infan-*

franchissaient le Yalu, le haut commandement des Nations Unies et de l'Extrême-Orient les croyaient encore en place pour le combat en Mandchourie.

Au moment où les troupes chinoises grossissaient leurs rangs, les forces des Nations Unies continuaient leur avance vers le nord, atteignant les positions ennemies principales entre Pyongyang et le fleuve Yalu le 26 novembre. Puis, les Chinois lancèrent une contre-attaque massive qui transforma l'avance des Nations Unies en retraite vers de nouvelles positions le long de la rivière Imjin au nord de Séoul.

C'est dans une atmosphère de désastre insoupçonnée que le 2e bataillon du *Princess Patricia's Canadian Light Infantry* arriva en Corée en décembre 1950. Le rôle d'occupation qu'il s'attendait de jouer n'existait plus. C'était plutôt la rapidité avec laquelle le bataillon pouvait passer à l'action qui comptait. Le *PPCLI* entreprit un entraînement intensif à Miryang, près de Taegu, alors que des nouvelles sombres continuaient d'arriver du nord.

La nouvelle année débuta par une autre offensive écrasante des troupes chinoises qui forcèrent une nouvelle retraite générale. Séoul tomba à nouveau aux mains des communistes le 4 janvier 1951. Une nouvelle ligne de démarcation fut établie à quelque 64 kilomètres au sud de l'ancienne capitale.

Pendant que survenaient ces événements, le bataillon canadien subissait l'entraînement poussé en maniement des armes et en tactique, dont il avait besoin avant de pouvoir s'engager dans les combats, et s'acquittait de tâches opérationnelles limitées, telles que des patrouilles contre la guérilla.

Le Mémorial du *PPCLI* à Kapyong.

La participation canadienne – 1951

Les troupes canadiennes au combat

À la mi-février 1951, le 2e bataillon du *PPCLI* entra dans le feu de l'action sous le commandement de la 27e Brigade d'infanterie du Commonwealth britannique. Cette formation, qui avait participé aux opérations en Corée depuis le tout début du conflit, se composait de deux bataillons britanniques et d'un bataillon australien. L'artillerie de soutien était assurée par un régiment de campagne néo-zélandais et les soins médicaux par la 60e *Indian Field Ambulance*. Les *Patricias* venaient compléter son caractère de Commonwealth.

L'arrivée des Canadiens coïncida avec la seconde avance générale des Nations Unies vers le 38e parallèle. Dans cette nouvelle offensive, la 27e Brigade du Commonwealth britannique devait pousser vers le nord-est avec comme objectif définitif les terrains élevés au nord-ouest de Hoengsong.

Partageant la tête de pointe de la brigade avec les Britanniques du *Argyll*, les *Patricias* commencèrent, le 21 février, à remonter la vallée qui s'étendait vers le nord à partir du village de Sangsok. La pluie, mêlée de neige, rendait l'avance peu sûre, mais heureusement, l'opposition ennemie était faible. La compagnie «D» fut la première à prendre contact avec l'ennemi lorsque ses troupes de tête se trouvèrent dans le champ de tir de l'ennemi installé sur un terrain élevé au nord-est.

Dans les jours qui suivirent les progrès devinrent plus difficiles. Des collines d'une altitude variant de 250 à 425 mètres s'élevaient de chaque côté; on devait creuser profondément dans la neige pour assurer les positions sur les collines; le temps était extrêmement froid et la résistance ennemie s'était accrue. Le 22 février, la compagnie «C» connut les premières pertes du bataillon au combat lorsqu'elle compta quatre tués et un blessé au cours d'une attaque sur la cote 444. Les autres troupes du Commonwealth connurent des difficultés semblables. Cependant, vers le 1er mars, la brigade avait franchi 25 kilomètres en terrain difficile malgré une résistance acharnée de l'arrière-garde.

Le 7 mars, l'avance était reprise. Comme objectifs la cote 410 fut confiée aux Australiens et la cote 532 au 2e bataillon du *PPCLI*. Les vallées s'orientaient mainte-

nant vers l'est et l'ouest, traversant l'axe d'avance, et offraient à l'ennemi une ligne de défense naturelle. Au départ, la résistance de l'ennemi qui était bien retranché et camouflé fut très forte. L'attaque se limita à une série de combats sectoriels menés avec acharnement. Puis soudain, l'ennemi se retira.

Dans les quelques jours qui suivirent, il devint évident que les troupes chinoises se retiraient sur toute la longueur du front. Le 15 mars, Séoul fut libéré par la 1re Division de la République de Corée. Poursuivant l'ennemi en retraite, la 24e Division d'infanterie américaine se dirigea vers le 38e parallèle à l'ouest de la rivière Kapyong, tandis que la Brigade du Commonwealth gravissait la vallée de la Chojong vers son premier objectif, une imposante colline portant le numéro 1036 sur la ligne *Benton*. Vers le 31 mars, cet objectif était atteint et la brigade se déplaçait à l'est, vers la vallée de la rivière Kapyong. Le 8 avril, les *Patricias* attaquaient avec succès des objectifs au-delà du 38e parallèle.

Entre-temps, la question de franchir le 38e parallèle était chaudement débattue tant dans les milieux militaires que politiques. Deux solutions s'offraient à la force des Nations Unies. La première consistait à talonner l'ennemi jusqu'à la victoire militaire totale. Pour y arriver il fallait obtenir des troupes supplémentaires et porter le conflit au-delà des frontières de la Corée jusqu'en Mandchourie. L'autre solution comportait une stabilisation militaire conjuguée à des négociations des Nations Unies visant à mettre fin au conflit. Le général MacArthur prônait des efforts concertés pour mener à la victoire, même au risque d'une guerre ouverte avec la Chine communiste, et exprimait publiquement son insatisfaction devant les Nations Unies et l'administration Truman qui favorisaient la négociation. Le 11 avril 1951, on lui retira son commandement et il fut remplacé par le lieutenant-général Matthew B. Ridgway.

Le renvoi du général MacArthur ne signifiait nullement un changement immédiat de tactique et l'avance entreprise en février se poursuivit. Vers la mi-avril, presque tout le front des Nations Unies se trouvait au nord du 38e parallèle.

Le combat à Kapyong

Il était évident que les Chinois se préparaient à une contre-attaque en force. Leur retraite antérieure leur avait permis de redresser leur ligne, d'installer leurs forces sur un terrain élevé au nord de la rivière Imjin, de remplacer leurs troupes fatiguées et de réorganiser leur matériel.

Dans la nuit du 22 au 23 avril 1951, les forces chinoises et nord-coréennes attaquèrent dans les secteurs ouest et centre-ouest. Les 1er et 9e Corps d'armée américains reçurent tous deux l'ordre de se replier. Dans le secteur du 9e Corps d'armée, c'est la 6e Division de la République de Corée qui essuya l'offensive. Écrasée et forcée de battre en retraite, elle était dangereusement menacée d'être coupée du reste des troupes et d'être complètement détruite.

Heureusement, l'emplacement qu'occupait la 27e Brigade du Commonwealth, qui était alors en réserve, constituait une route idéale d'évasion que pouvaient emprunter les Sud-Coréens. Ce secteur se trouvait dans la vallée de la Kapyong près de l'endroit où elle rencontrait la rivière Pukhan. À cet endroit, la largeur de la vallée atteignait quelque 2,800 mètres. Au nord, elle se rétrécissait, décrivait un méandre et était dominée par les collines avoisinantes. De ces collines, on pouvait contrôler les entrées et les sorties de la vallée. Une position défensive y fut installée: le 3e bataillon du *Royal Australian Regiment* s'installa sur la cote 504; le 2e bataillon du *PPCLI* s'accrocha à la cote 677 et le 1er Régiment du *Middlesex* se fixa au sud des *Patricias*.

Les premiers à subir l'attaque, les Australiens résistèrent à un engagement massif durant la nuit du 23 au 24 avril. Le lendemain, l'infiltration chinoise s'intensifia, forçant les Australiens à se retirer sous un feu nourri. Le retrait des Australiens exposa aux attaques ennemies les positions des *Patricias*. Les postes du bataillon étaient répartis sur le versant nord de la cote 677: la compagnie «A» à la droite, la compagnie «C» au centre et la compagnie «D» sur le flanc gauche.

La compagnie «B», qui occupait d'abord une saillie

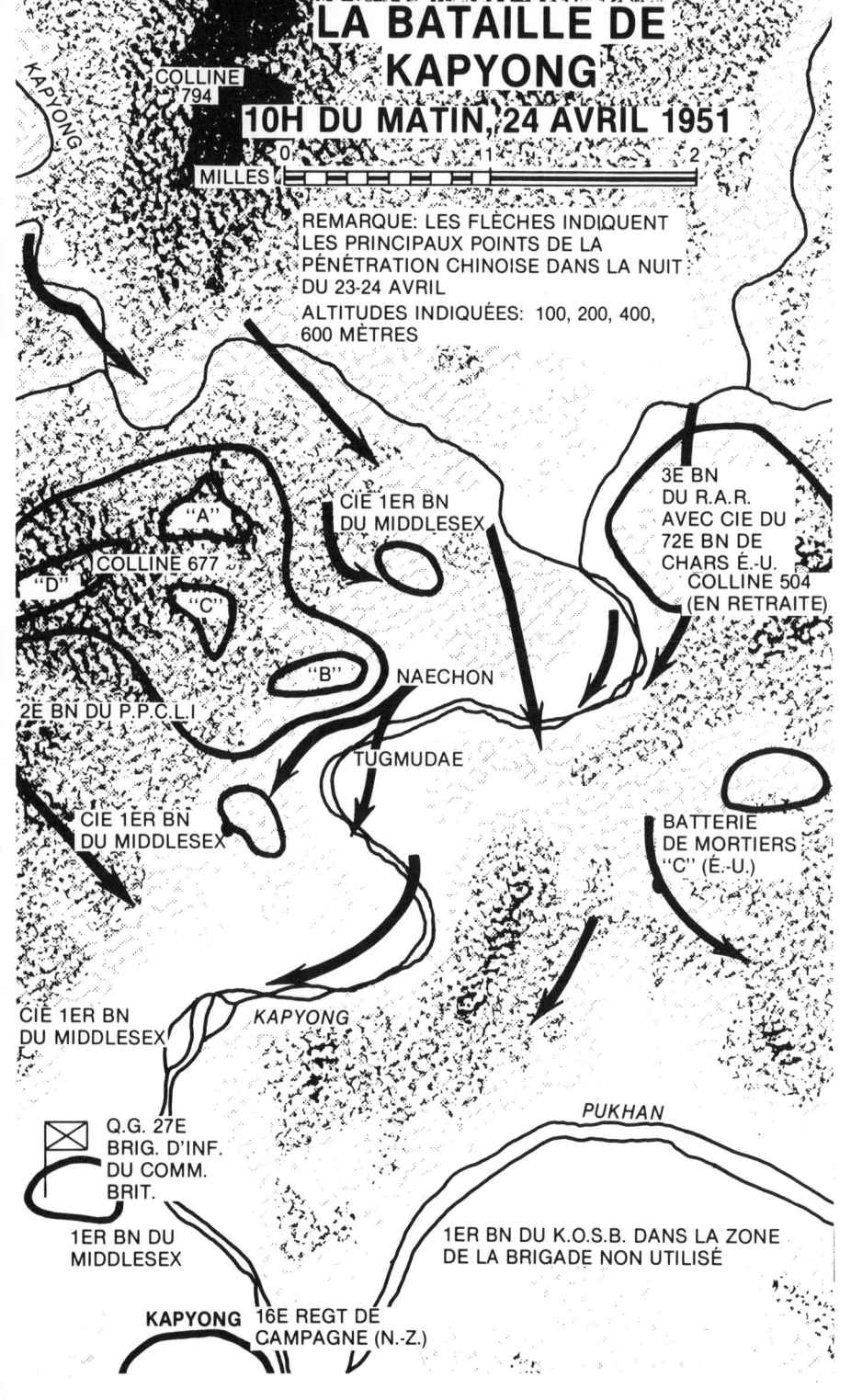

LA BATAILLE DE KAPYONG
10H DU MATIN, 24 AVRIL 1951

COLLINE 794

KAPYONG

MILLES 0   1   2

REMARQUE: LES FLÈCHES INDIQUENT LES PRINCIPAUX POINTS DE LA PÉNÉTRATION CHINOISE DANS LA NUIT DU 23-24 AVRIL

ALTITUDES INDIQUÉES: 100, 200, 400, 600 MÈTRES

CIE 1ER BN DU MIDDLESEX

3E BN DU R.A.R. AVEC CIE DU 72E BN DE CHARS É.-U. COLLINE 504 (EN RETRAITE)

"A"

COLLINE 677

"D"

"C"

"B"   NAECHON

2E BN DU P.P.C.L.I.

TUGMUDAE

CIE 1ER BN DU MIDDLESEX

BATTERIE DE MORTIERS "C" (É.-U.)

CIÉ 1ER BN DU MIDDLESEX

KAPYONG

PUKHAN

Q.G. 27E BRIG. D'INF. DU COMM. BRIT.

1ER BN DU MIDDLESEX

1ER BN DU K.O.S.B. DANS LA ZONE DE LA BRIGADE NON UTILISÉ

KAPYONG   16E REGT DE CAMPAGNE (N.-Z.)

devant la compagnie «D», fut retirée plus au sud sur une colline immédiatement à l'est du poste de commandement tactique. De cet endroit, elle pouvait observer l'ennemi concentrer ses troupes à travers la vallée de la Kapyong vers le nord et l'est, près du village de Naechon. Vers 22 heures, l'ennemi commença à bombarder au mortier les positions des *Patricias* et, peu de temps après, le peloton de tête subit l'attaque. Celui-ci fut partiellement débordé mais put se désengager et rejoindre les postes du restant de la compagnie d'où l'on put préparer une contre-attaque.

Pendant que la compagnie «B» subissait l'attaque, l'ennemi s'efforça également d'infiltrer d'autres points, y compris une tentative contre le poste de commandement tactique. Ces attaques furent repoussées par le tir de mitrailleuses et de mortiers du bataillon.

En raison de sa position exposée du côté nord-ouest, la compagnie «D» supporta le fort de l'attaque suivante lorsque l'ennemi l'assaillit en grand nombre des deux flancs. Lorsqu'un peloton et un groupe de mitrailleurs furent débordés et un autre peloton retranché le commandant de compagnie fit appeler un tir d'artillerie sur sa propre position. Après deux heures de combat acharné l'avance ennemie fut freinée. Pendant toute la nuit, l'ennemi renouvela ses attaques qui furent toutes repoussées par le tir d'artillerie. À l'aube, la pression s'évanouit et la compagnie «D» put réoccuper ses anciennes positions.

Bien que les *Patricias* aient maintenu leurs positions, le bataillon était encerclé et la voie d'approvisionnement contrôlée par l'ennemi. Ses réserves de munitions et ses rations d'urgence épuisées, le lieutenant-colonel Stone demanda l'approvisionnement aérien. Celui-ci lui fut parachuté à peine quelques heures plus tard. Vers 14 heures la route menant à la position du *PPCLI* fut réouverte après que le régiment du *Middlesex* eut balayé les troupes ennemies de son arrière.

Pendant ces combats, les Canadiens avaient maintenu leur position, vitale à la défense de la brigade, tout en infligeant de lourdes pertes à l'ennemi. Le nombre peu élevé des pertes (10 morts et 23 blessés) que les *Patricias* avaient eux-mêmes subies, témoignent de l'habileté et de l'excellente organisation avec lesquelles la défense fut assurée. En récompense de leur bravoure à Kapyong, le président des États-Unis octroya la

citation présidentielle au 2ᵉ bataillon du *Princess Patricia's Canadian Light Infantry* et au 3ᵉ bataillon du *Royal Australian Regiment*.

Le 1ᵉʳ mai, l'offensive ennemie avait pris fin. Les 1ᵉʳ et 9ᵉ Corps d'armée américains détenaient alors une ligne irrégulière d'environ 30 kilomètres au sud du 38ᵉ parallèle, formant un arc au nord de Séoul. On prépara immédiatement des plans pour réoccuper la ligne *Kansas*, le nom codé d'une chaîne de collines juste au nord du 38ᵉ parallèle. En même temps on renforça la position défensive contre toute possibilité d'une nouvelle attaque chinoise. Au nord, les Chinois avaient déplacé leurs troupes vers l'est en vue d'un assaut contre le secteur occupé par la 8ᵉ Armée.

L'arrivée de la 25ᵉ Brigade

Le 21 février 1951, le ministre de la Défense nationale, l'honorable Brooke Claxton, annonçait la décision d'envoyer le reste de la 25ᵉ Brigade d'infanterie canadienne (voir page 4) en Corée, tel que prévu.

La brigade débarqua à Pusan au début de mai et, après une courte période d'entraînement, se dirigea vers le nord afin de rejoindre la 28ᵉ Brigade du Commonwealth britannique (laquelle avait pris la relève de la 27ᵉ Brigade) sur la rivière Han. Elle arriva au front au moment où les forces des Nations Unies entreprenaient

leur troisième avance générale vers le 38ᵉ parallèle. Le régiment d'artillerie fut affecté immédiatement à l'appui de la 28ᵉ Brigade, au nord de la Han, exécutant son premier tir opérationnel le 17 mai.

Comme l'opinion qui régnait aux Nations Unies favorisait toujours la stabilisation de la situation militaire et la négociation, le but général de cette nouvelle opération visait à supprimer les pressions sur les secteurs disputés, tout en empêchant les armées communistes de refaire leurs forces et de lancer une autre offensive en masse.

Les tactiques et les stratégies de combat étaient déterminées par la force et la nature des troupes belligérantes. La suprématie aérienne et la supériorité du matériel étant assurées, le but des troupes des Nations Unies sur le champ de bataille n'était pas de «prendre contact avec l'ennemi et le détruire,» mais de le forcer à reculer derrière le mur des montagnes qui s'étiraient le long du 38ᵉ parallèle, en utilisant des effectifs réduits. Chez les Chinois, la tactique se fondait sur leur atout principal, le potentiel en hommes de troupe. Ainsi, lorsqu'ils n'atteignaient pas les objectifs visés au cours d'une offensive, ils avaient comme tactique de se retirer pendant que des renforts et des munitions leur étaient

a. Canadiens aménageant une position de mitrailleur, mai 1951.
b. Détachement du 2ᵉ btn du *PPCLI* traversant un pont de billes, février 1951.

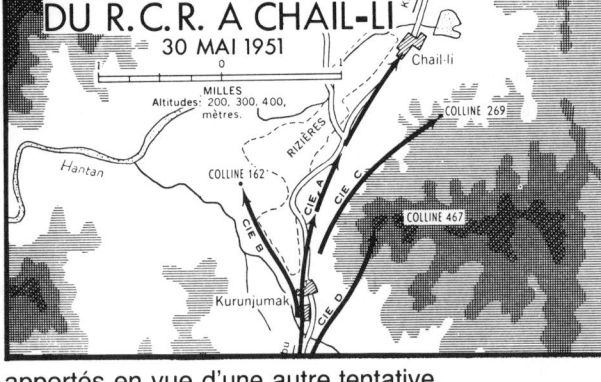

L'ATTAQUE DU 2ᴱ Bᴺ DU R.C.R. A CHAIL-LI
30 MAI 1951

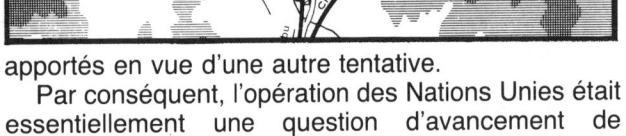

a. Soldats du R22ᵉR consolidant leur position au nord du 38ᵉ parallèle, mai 1951. *b.* Équipe de mitrailleurs du *RCR*, mai 1951. *c.* Canadiens poussant une jeep et une remorque, mai 1951.

apportés en vue d'une autre tentative.

Par conséquent, l'opération des Nations Unies était essentiellement une question d'avancement de groupes de régiments, individuellement ou de concert avec les unités de flanc. Les combats menés par les troupes canadiennes étaient semblables à ceux qui se déroulaient dans d'autres secteurs sur le front.

Le 24 mai 1951, la 25ᵉ Brigade fut confiée au commandement de la 25ᵉ Division d'infanterie américaine et elle se dirigea vers un secteur au nord-est de Uijongbu. La première opération de la brigade, portant le nom codé *Initiate*, consistait à franchir par étapes une série de lignes jusqu'à la ligne *Kansas*, au sud de la rivière Imjin. Elle fut précédée par le groupement opérationnel «Dolvin», un groupe de combat conjugué de chars et d'infanterie, conçu de façon à pouvoir se déplacer rapidement afin de capturer et de retenir l'objectif jusqu'à ce que le gros des troupes arrive pour établir de fortes positions défensives.

L'axe de la brigade empruntait la vallée de la rivière Pochon. Deux bataillons, appuyés par des chars et un détachement du Génie royal canadien, s'avancèrent de chaque côté de la vallée, le 2ᵉ bataillon du *RCR* sur la gauche et le 2ᵉ bataillon du R22ᵉR sur la droite.

Ne rencontrant dans son avance qu'une faible résistance, la brigade atteignit les positions sur la ligne *Kansas* le 27 mai. Elle remplaça le groupement opérationnel «Dolvin» le 28 mai et le lendemain entreprit une avance au nord du 38ᵉ parallèle, ne s'arrêtant qu'une fois rendue près d'un village détruit situé aux pieds d'une barrière montagneuse impressionnante appelée Kakhul-bong (cote 467).

L'attaque de Chail-li

Kakhul-bong dominait la ligne d'avance du 2ᵉ bataillon du *RCR*. Par conséquent, le bataillon prépara son attaque contre cet accident géographique et le village de Chail-li qui se trouvait derrière.

Le plan du bataillon prévoyait que la compagnie «A» s'emparerait du village de Chail-li au nord de la colline; la compagnie «B» devait protéger le flanc gauche en occupant la cote 162 à l'ouest, et la compagnie «C» devait s'emparer de la cote 269 entre Chail-li et la cote 467. L'assaut principal sur Kakhul-bong avait été confié à la compagnie «D». Le bataillon avait l'appui du 2ᵉ régiment de la *RCHA*.

L'opération débuta tôt dans la matinée du 30 mai sous une pluie battante. Les compagnies «A», «B» et «C» atteignirent leurs objectifs avec assez de facilité, mais la compagnie «D» rencontra une résistance acharnée et subit des pertes sous le tir des mitrailleuses ennemies.

Au début de l'après-midi, les Chinois qui détenaient encore la colline, contre-attaquèrent la compagnie «A» et le village de Chail-li, débordant par l'arrière afin d'encercler la compagnie et de l'isoler. Entre-temps, la compagnie «C», sur la cote 269 à mi-chemin entre les deux points, ne pouvait apporter une aide efficace ni à l'une ni à l'autre. La visibilité faible rendait difficile la reconnaissance des troupes dans la vallée et la distance était trop grande pour que le tir de la compagnie atteigne l'ennemi.

Kakhul-bong était un centre vital pour les voies d'approvisionnement des Chinois et leur système de communications traversant la plaine de Chorwon, et ils résistèrent avec acharnement à l'avance de la compagnie «D». Des tentatives renouvelées échouèrent et on

ne put déloger les défenseurs qui avaient l'avantage d'un réseau extensif de tranchées et d'une mitrailleuse bien située sur le sommet de la colline. De plus, la situation de la brigade était précaire. L'avance avait percé une brèche profonde dans les lignes ennemies, laissant les flancs de la brigade sans protection. Puisqu'il semblait que le *RCR* ne pouvait continuer à tenir Chail-li ou prendre Kakhul-bong, le brigadier Rockingham ordonna un recul afin de constituer une solide position défensive. Harcelé de près par les Chinois, le *RCR* dut livrer combat tout le long du retour vers ses nouvelles positions.

L'action à Chail-li fut le premier engagement important de la brigade qui s'est très bien acquittée de sa tâche. Les pertes, au nombre de six morts et 54 blessés, témoignent de l'ardeur du combat qu'elle a livré.

Le 27 mai, le 2e bataillon du *PPCLI*, qui était resté avec la 28e Brigade du Commonwealth pendant toute cette période, se déplaça vers le sud afin de rejoindre le commandement canadien qu'elle avait quitté plus de six mois auparavant à Fort Lewis.

Les opérations canadiennes – juin et juillet 1951

Du 2 au 18 juin 1951, la 25e Brigade demeura en réserve au sud du point de rencontre de la Imjin et de la Hantan. À cet endroit, la rivière Imjin décrit un méandre aigu vers le sud-ouest, piquant une pointe profonde dans le *no-man's-land*. Le contrôle de cette pointe était essentiel puisque l'extrémité se trouvait près de la voie d'approvisionnement venant de Séoul et passant par Uijongbu vers le secteur de Chorwon. Durant le mois de juin, le commandement des Nations Unies assura la domination du secteur par des patrouilles acharnées. Plus tard au cours de l'année, des opérations seraient menées en vue de supprimer cette pointe.

Peu après avoir rejoint la 25e Brigade, le 2e bataillon du *PPCLI* fut à nouveau rattaché à la 28e Brigade du Commonwealth britannique et se vit confier la mission d'établir et de maintenir une base de patrouilles à l'extrémité de la pointe. Les bases de patrouilles étaient des zones défendues comprenant une aire ordinairement assignée à un bataillon ou à une brigade et étaient établies dans le *no-man's-land* à des distances variables par delà les postes défensifs avancés. De ces bases, les troupes pouvaient exercer une surveillance

sur la zone et fouiller en profondeur les hauteurs derrière. Le 6 juin, les *Patricias* établirent leur base et la défendirent jusqu'au 11 juin lorsqu'ils furent relevés par le Royal 22e Régiment.

En patrouille à Chorwon

Vers la mi-juin, la 8e Armée américaine avait élargi sa percée sur la côte est et s'était avancée environ 16 kilomètres en direction du centre de la péninsule. Cette ligne devait demeurer substantiellement la même jusqu'à la fin de la guerre.

La brigade canadienne se vit assigner un front long de 6,900 mètres s'étendant au sud-ouest de Chorwon. La plaine de Chorwon se prolongeait au nord-est; devant le front, il y avait un réseau de collines et de vallées étroites. C'est là, au cours des semaines qui suivirent, que les troupes furent affectées à des raids et à des patrouilles. La position canadienne était vulnérable car les vallées et les ravins offraient un accès facile aux infiltrations ennemies et les troupes devaient être constamment sur un pied d'alerte.

La première de la série des grandes patrouilles sur le front de la brigade fut exécutée le 21 juin. La patrouille se composait de fantassins du *RCR* et de chars du *Lord Strathcona's Horse*, appuyée par l'artillerie de campagne de la *RCHA* et d'un élément de contrôle aérien tactique. Une base sûre fut établie près de Chungmasan où l'artillerie se déploya tandis que le reste de la patrouille poursuivit plus avant. Lorsqu'un avion de reconnaissance aérienne signala la présence de l'ennemi en force sur une colline voisine, la patrouille ordonna une attaque aérienne sur la position et se retira dans la zone de la brigade. Les patrouilles subséquentes suivirent en somme le même mode d'opération et obtinrent à peu près les mêmes résultats.

a. Hommes de troupe du R22eR nettoyant une mitrailleuse Bren, décembre 1951.
b. Membres du *RCR*, juin 1951.

a. Hommes de troupe et matériel canadiens franchissant la rivière Imjin, juillet 1951.
b. Batterie de canons du 2e rég. du *RCHA* appuyant les troupes du 2e btn du RCR, juin 1951. *c.* Canons du *RCHA* bombardant les positions ennemies à la colline «Petit Gibraltar».
d. Section du R22^eR près de la rivière Imjin, juin 1951.

a.

b.

d.

c.

Le début des pourparlers de trêve et la formation de la 1re Division du Commonwealth

Au cours de l'été 1951, deux événements importants eurent lieu. Au début de juillet, à la demande des communistes, on entreprit des négociations pour un cessez-le-feu. Des difficultés surgirent dès le début des pourparlers de trêve. On soupçonnait les communistes d'avoir entrepris ces pourparlers non pour obtenir la paix mais plutôt pour en tirer des avantages militaires. Comme la guerre elle-même, les pourparlers traînèrent en longueur pendant les deux années suivantes.

Également en juillet, on annonça que la 25e Brigade canadienne rejoindrait la 1re Division du Commonwealth nouvellement formée et confiée au commandement du major-général J.H. Cassells. Dès sa formation, la division, sous le contrôle opérationnel du 1er Corps d'armée américain, détenait un secteur de la ligne *Kansas* s'étendant en direction ouest sur 10,000 mètres à partir du point de rencontre de la Imjin et de la Hantan. Les positions ennemies principales s'échelonnaient sur 5,000 à 7,500 mètres au nord de la Imjin.

Comme nous l'avons déjà mentionné, l'activité ennemie dans ce secteur menaçait la voie d'approvisionnement vers Chorwon. Par conséquent, au cours des mois suivants, on vit la 1re Division du Commonwealth s'occuper activement de patrouiller en profondeur la pointe avant qu'elle n'occupe enfin ce secteur lors des opérations *Minden* et *Commando*.

Du 28 juin au début de septembre 1951, alors que la 25e Brigade fut tenue en réserve, on lui confia un certain nombre de missions. À la mi-août, le *RCR* effectua une patrouille de bataillon. Plus tard au cours du mois, le *PPCLI* et le Royal 22e Régiment rencontrèrent une certaine résistance pendant qu'ils consolidaient leurs positions et patrouillaient jusqu'aux cotes 187 et 208.

Le franchissement de l'Imjin

Comme les négociations de paix demeuraient au point mort, le commandement des Nations Unies accéléra son offensive sur le front du 1er Corps d'armée. Au cours des mois de septembre et d'octobre, deux opérations, dont les noms codés étaient respectivement *Minden* et *Commando*, furent exécutées afin d'assurer la défense en profondeur de ce secteur et de fournir une meilleure protection latérale à la voie d'approvisionnement Séoul-

b.

a. Équipe de nettoyage dès mines du Génie royal canadien, septembre 1951. b. Le PPCLI longeant la rivière Imjin, juin 1951. c. Le point Teal sur la rivière Imjin.

d'exécuter des patrouilles «de routine». Ces patrouilles, il faut le souligner, étaient dangereuses et constituaient souvent pour ceux qui y prenaient part une activité qui était loin d'être routinière.

L'opération *Commando*, qui réunissait les quatre divisions du 1er Corps d'armée américain, permit d'établir une nouvelle ligne de front, appelée *Jamestown*. La partie de la ligne défendue par les forces du Commonwealth était située sur un terrain élevé surplombant la vallée d'un affluent de la rivière Sami-chon. Les divisions américaines se trouvaient sur la droite et la 1re Division de la République de Corée était située sur la gauche. Les brigades de la Division du Commonwealth lancèrent leurs attaques pendant plusieurs jours de suite, car chacune pouvait alors compter sur un appui plus massif de l'artillerie. Les Canadiens, auxquels on avait rattaché les *1st Royal Ulster Rifles* de la 29e Brigade britannique, s'ébranlèrent le lendemain du jour J. L'objectif principal du *RCR* était la cote 187, tandis que les objectifs du *PPCLI* comprenaient une deuxième cote, portant aussi le numéro 187, et la cote 159. Les *Ulsters* devaient prendre la zone sise entre les villages de Yongdong et Chommal.

Les *Ulsters* lancèrent l'attaque et sans grande difficulté atteignirent tous leurs objectifs cet après-midi-là. Vers la fin de l'après-midi du jour suivant, soit le 5 octobre, le *RCR* et le *PPCLI* signalaient que leurs missions étaient accomplies avec succès. La 28e Brigade du Commonwealth, qui avait entre-temps essuyé une plus forte opposition, réussissait à emporter son objectif, la cote 217, le 8 octobre.

La division installa alors la ligne *Jamestown* entre les rivières Sami-chon et Imjin, avec les lignes *Wyoming* et *Kansas* à l'arrière. Elle devait maintenir un front d'environ 19,000 mètres avec sept bataillons sur la ligne d'attaque. Dans la zone géographique située devant elle, la ligne principale ennemie se trouvait beaucoup plus proche qu'auparavant et les collines nouvellement conquises étaient plus exposées aux attaques.

Ces opérations avaient également servi à fondre la 1re Division du Commonwealth, composée de groupes de diverses nationalités, en une force d'attaque imbattable. Un sens de la cohésion et un esprit de corps s'étaient développés qui seraient d'une valeur inestimable au cours des longs mois à venir.

c.

Chorwon. Au cours de la première de ces opérations, *Minden*, la ligne *Wyoming* fut prolongée de manière à supprimer la saillie créée par le méandre dans la rivière Imjin.

Le jour J de l'opération *Minden* fut le 8 septembre 1951. La Brigade du Commonwealth établit une tête de pont solide dans le *no-man's-land*, sur la rive nord du cours inférieur de l'Imjin. C'est de cette base, que, trois jours plus tard, les deux autres brigades devaient se diriger vers l'objectif: une ligne reliant Sanggorang à Chung-gol, portant le nom codé *Wyoming*. Pendant ce temps, les sapeurs avaient construit ou réouvert les routes sillonnant ce secteur et construit deux ponts, *Pintail* et *Teal*, enjambant la rivière Imjin. Ces ponts étaient des liens vitaux aux secteurs de ravitaillement situés au-delà de l'Imjin et, dans les mois à venir, joueraient un rôle important dans les activités des Canadiens.

Le 11 septembre, la division composée de la 29e Brigade sur la gauche et de la 25e Brigade sur la droite, quitta la tête de pont pour se diriger vers le nord. Les Sud-Coréens et les Américains avançaient sur les deux flancs. Le 13 septembre, sans grande opposition et avec peu de pertes, l'opération prenait fin.

De la mi-septembre jusqu'à la date de l'opération *Commando* qui débuta le 3 octobre, la 25e Brigade s'occupa principalement d'asseoir ses positions et

a.

a. Sapeurs du Génie royal canadien examinant une boîte de mine ennemie chinoise, octobre 1951. *b.* Scène de combat en Corée représentant un tireur et un mitrailleur Bren du R22ᵉR, octobre 1951.

Le premier roulement – d'octobre à novembre 1951

Au cours des mois d'octobre et de novembre 1951, les troupes canadiennes firent l'objet de leur premier roulement. Le 1ᵉʳ bataillon du *PPCLI*, commandé par le lieutenant-colonel N.G. Wilson-Smith, remplaça graduellement le 2ᵉ bataillon du *PPCLI* afin de permettre l'initiation des hommes de troupes inexpérimentés.

Une compagnie du 1ᵉʳ bataillon du *PPCLI* se retrouva dans le feu de l'action presque deux semaines avant l'entrée officielle de l'unité sur le front, au cours de l'opération *Pepperpot*, rôle attribué aux Canadiens dans plusieurs raids menés par la 1ʳᵉ Division du Commonwealth contre certaines positions ennemies connues. On visait à infliger des dommages et des pertes à l'ennemi et par la même occasion, obtenir des renseignements sur la disposition de ses troupes. Pour ces opérations qui débutèrent le 23 octobre la brigade canadienne fournit une compagnie de chaque bataillon. La cote 166, principal objectif des Canadiens, fut confiée à la compagnie du Royal 22ᵉ Régiment, tandis que d'autres objectifs, la cote 156 et un autre mamelon sans nom entre les deux, furent attribués à la compagnie «A» du 1ᵉʳ bataillon du *PPCLI* et au *RCR* respectivement. Le *Royal Canadian Regiment* et le *PPCLI* atteignirent leurs objectifs devant une opposition assez faible, mais le Royal 22ᵉ fut empêché d'atteindre le sien par le tir nourri de mitrailleuses. L'opération coûta la vie à cinq Canadiens et fit 21 blessés tandis qu'on rapporta 37 morts connus chez l'ennemi et autant de présumés tués ou blessés.

Les attaques ennemies – novembre 1951

Entre-temps, l'ennemi adopta lui aussi des mesures offensives. À compter de la mi-octobre, en riposte à l'opération *Commando*, les Chinois organisèrent une série d'attaques qui se poursuivirent avec de plus en plus d'intensité jusqu'en novembre.

Dans la nuit du 2 au 3 novembre, l'ennemi attaqua le centre de la ligne canadienne maintenue par les compagnies «A» et «C» du *Royal Canadian Regiment*. Les premières attaques furent repoussées, mais, au cours d'une attaque à l'aube, le peloton d'avant, à court de munitions et affaibli par les pertes, fut forcé de se replier, ce qu'il fit en livrant un combat d'arrière-garde efficace.

b.

L'ennemi continua de harceler la compagnie, mais sous le feu nourri de l'artillerie et des mortiers, il finit par se retirer.

Le 4 novembre, la 28ᵉ Brigade du Commonwealth britannique affronta des bombardements fort violents suivis d'attaques en force. Après un combat acharné, la cote 217 tomba aux mains des Chinois, dans la soirée, et la cote 317 de même, pendant la nuit. Pendant que les combats se poursuivaient sur le front de la 28ᵉ Brigade, l'ennemi lança une série d'attaques contre une compagnie du 1ᵉʳ bataillon du *PPCLI*. La première attaque fut brisée par l'artillerie et les mortiers; la deuxième et la troisième furent repoussées tant par le feu des armes de soutien que par celui des propres armes de la compagnie. Après avoir essuyé son troisième échec, l'ennemi se retira.

Le combat suivant auquel participèrent les troupes canadiennes fut un autre raid contre la cote 166, le 9 novembre, par la compagnie «C» du Royal 22ᵉ Régiment. Au cours de ce raid, deux pelotons atteignirent leurs objectifs intermédiaires et le peloton d'avant-droit atteignit un point à moins de 90 mètres du sommet de la colline. Alors que l'ennemi mit en branle une forte contre-attaque, le groupe tout entier ayant accompli l'essentiel de sa mission, fut retiré.

Un rajustement des secteurs divisionnaires, effectué à ce stade, rétrécit la largeur du front du Commonwealth

d'environ 4,600 mètres. La cote 355 qui dominait le centre de la ligne d'attaque passa aux mains de la 3e Division américaine. La brigade canadienne fut chargée d'un front de presque sept kilomètres s'étendant vers le nord-est à partir de la rivière Sami-chon.

Les Canadiens, avec leurs trois bataillons en ligne, terminèrent l'occupation de leur nouveau secteur le matin du 22 novembre. L'après-midi de ce même jour, l'ennemi entreprit le bombardement intensif de la cote 355, aux mains des Américains, qu'il fit porter jusqu'au secteur détenu par le Royal 22e Régiment, plus particulièrement la compagnie «D». Les obus continuèrent à pleuvoir pendant toute la nuit. La pluie se changea en neige et le terrain se transforma en boue, ce qui rendait extrêmement difficile le travail des sapeurs pour maintenir ouvertes les voies d'accès aux compagnies assaillies.

Le lendemain, l'ennemi accéléra le tir d'obus. Il lança, par la suite, en fin d'après-midi, une attaque contre les deux positions. La compagnie canadienne conserva le terrain gagné, mais au début de la soirée, la majeure partie de la cote 355, qui avait essuyé le plus fort de l'attaque, tomba aux mains de l'ennemi. Entre-temps, les Chinois avaient également repris la cote 227.

La perte permanente de la cote 355 aurait constitué une grave menace à la force des Nations Unies en permettant à l'ennemi de contrôler la voie latérale qui traversait le secteur américain et aurait rendu les positions canadiennes intenables. Déjà la présence de l'ennemi sur les cotes 227 et 355 présentait un danger d'encerclement pour le Royal 22e Régiment. Au cours des nuits du 23 au 24 et du 24 au 25 novembre, le lancement d'obus et les attaques se poursuivirent avec une intensité accrue sur les deux fronts, et la cote 355 passa des mains des Chinois à celles des Américains, puis à celles des Chinois et enfin à celles des Américains. Chaque fois que l'ennemi reprenait le contrôle, le Royal 22e Régiment était menacé d'autres attaques. Dans la soirée du 25 novembre, après quatre jours et quatre nuits de bombardements continuels d'obus, la cote 355 était à nouveau aux mains des Américains et la compagnie «D» du Royal 22e Régiment, malgré un état d'épuisement presque total, conservait toujours le terrain conquis.

Avec la reprise des négociations d'un cessez-le-feu,

des ordres furent émis, le 27 novembre, interdisant la sortie de toute autre patrouille de combat et restreignant le tir de l'artillerie à la défense et au contre-bombardement.

Les opérations de décembre 1951 à avril 1952

Le cessez-le-feu partiel se révéla bientôt unilatéral et temporaire puisque l'ennemi continuait de bombarder et d'envoyer des patrouilles. L'artillerie du Commonwealth fut bientôt autorisée à reprendre ses activités normales et les restrictions imposées à l'infanterie furent graduellement levées. Le programme de la bri-

b.

gade comportait une patrouille de combat pour chaque unité de même que des patrouilles de reconnaissance nocturne et d'embuscade. Il visait à obtenir des renseignements sur les positions ennemies en vue de raids éventuels et à capturer des prisonniers. Dans la nuit du 10 décembre 1951, une compagnie du *PPCLI* exécuta un raid derrière la cote 277 et le *RCR* envoya une patrouille de combat de 35 hommes attaquer la cote 166. Les deux patrouilles atteignirent leurs objectifs et réussirent à obtenir des renseignements utiles concernant les défenses ennemies.

À la mi-janvier 1952, la 25e Brigade assuma le rôle de réserve divisionnaire après quatre mois et demi au front. En réserve pendant les sept prochaines semaines, les Canadiens furent occupés principalement à asseoir les positions de défense des lignes *Wyoming* et *Kansas*.

Les 9 et 10 mars, la 25e Brigade revint sur le front

a. Membres de l'Intendance royale canadienne faisant fonctionner un poste de T.S.F., novembre 1951. *b.* Soldat, du 1er btn du *PPCLI*, prenant part à l'exercice *Charlie Horse II.*

a.

a. Hommes de troupe du 1er btn du R22^eR en patrouille de reconnaissance.

b. L'escadron «B» du *Lord Strathcona's Horse*, juillet 1952.

a.

b.

dans des positions le long de la rivière Sami-chon avec deux bataillons (le *RCR* et le *PPCLI*) à l'ouest de la vallée et un bataillon (le Royal 22e Régiment) à l'est. La venue du printemps fut témoin d'une activité accrue chez l'ennemi. Dans la nuit du 25 mars les Chinois lancèrent un raid en force et bien coordonné contre la cote 132. L'attaque porta sur un peloton du 1er bataillon du *PPCLI* qui occupait la cote. Encerclés, les *Patricias* conservèrent leur position jusqu'à ce que les Chinois finalement se retirèrent quelque deux heures et demie plus tard.

La défense du front

Premier roulement général

De l'hiver 1951-1952 jusqu'à la fin des hostilités en 1953, une période d'opérations stationnaires s'établit. La force des Nations Unies maintint et améliora ses positions, renforça ses défenses, patrouilla le *no-man's-land* et repoussa les attaques ennemies. La guerre devint une guerre de raids et de contre-attaques, de pièges et de mines, de bombardements, de pertes et de patrouilles sans fin. Il n'y eut pas de grandes batailles, ni d'opérations d'envergure: la fin des hostilités reposait entre les mains des négociateurs dans la ville coréenne de Panmunjom.

Le roulement des autres bataillons d'infanterie et des autres unités de combat de la 25e Brigade originale débuta à la mi-avril. Le 2e bataillon du Royal 22e Régiment et le 2e bataillon du *Royal Canadian Regiment* furent relevés par leurs 1ers bataillons respectifs, fraîchement arrivés du Canada, tandis que le 1er régiment du *Royal Canadian Horse Artillery* assurait les lignes de tir. L'escadron «C» du *Lord Strathcona's Horse* demeura en Corée jusqu'au mois de juin alors que l'escadron «B» du même régiment prit la relève.

Le 27 avril 1952, le nouveau commandant de la brigade, le brigadier M.P. Bogert, prenait le commandement de la 25e Brigade à la ligne *Jamestown*. Cette ligne avait été modifiée à la mi-avril lorsque la Division du Commonwealth fut chargée de la cote 355, tandis que la zone à l'ouest de la Sami-chon passait aux mains des Américains.

En patrouille – de mai à juin 1952

Durant les mois de mai et de juin 1952, les unités de la Division du Commonwealth devaient organiser de fortes patrouilles. Une politique arrêtée par le quartier général du 1er Corps d'armée exigeait que chaque bataillon d'avant effectue une forte patrouille de combat à chaque semaine contre des positions ennemies connues. Celles-ci devaient ramener au moins un prisonnier tous les trois jours. Cette politique, qui se révéla difficile et coûteuse, fut par la suite abandonnée.

Bien que les détails des activités de ces patrouilles soient trop nombreux pour être racontés ici, il y avait certaines similitudes dans les tactiques et les contacts.

L'effectif du raid variait depuis une patrouille de 20 hommes jusqu'à une compagnie complète, et le feu nourri d'appui était assuré par l'artillerie et les chars d'assaut. Dans le secteur canadien, les patrouilles devaient d'abord traverser leur propre champ de mines et de barbelés et franchir ensuite la vallée pour atteindre les collines d'en face. Après avoir établi une base sûre de défense et de contrôle de l'artillerie, aussi près de l'objectif que possible, le groupe principal se dirigeait vers l'objectif détenu par l'ennemi où il devenait souvent la cible des mortiers et des armes portatives ennemis. Les objectifs eux-mêmes se caractérisaient par un réseau de tranchées souvent reliées par des tunnels dans lesquels l'ennemi pouvait facilement se déplacer. Dans ce réseau, il était possible d'infliger des pertes, mais la patrouille elle-même était exposée aux attaques et trouvait qu'il était extrêmement difficile de faire des prisonniers.

Une patrouille de ce genre fut exécutée par le 1er bataillon du *PPCLI* dans la nuit du 20 au 21 mai. Un groupe de 33 hommes fut réparti en une base sûre, une section de feu de couverture et une section de combat, alors que le tir de soutien fut assuré par une troupe du *Lord Strathcona's Horse*, une troupe du 1er régiment de la *RCHA* et les pelotons de mitrailleuses et de mortiers de l'unité. La base sûre fut établie au creux de la vallée de la Nabu-ri à 23 heures, le gros du détachement y passant à minuit. La section de tir de couverture prit ensuite position au pied de la colline, sous les tranchées ennemies. La section de combat poursuivit l'escalade de la pente. L'ennemi ouvrit le feu. On ordonna la retraite, le groupe de patrouille étant surpassé en nombre. Il y eut un mort et quatre blessés. Les pertes ennemies furent évaluées à sept morts ou blessés. Il n'y eut aucun prisonnier.

En plus des patrouilles de combat, dirigées contre le territoire ennemi, les Canadiens exécutèrent également un certain nombre d'autres genres de patrouilles. Des patrouilles d'embuscade, des patrouilles stationnaires, des patrouilles de reconnaissance furent exécutées en grand nombre afin de capturer des prisonniers, de déceler les mouvements ennemis et de fournir des renseignements au sujet de l'emplacement des armes ennemies.

À la fin de mai 1952, la 1re Division du Commonwealth reçut l'ordre d'affecter deux compagnies de fantassins, une britannique et l'autre canadienne, à la garde des prisonniers de guerre sur l'île Koje. Une unité canadienne du *RCR* fut chargée de ce travail sur l'île Koje jusqu'au 10 juin.

À la fin de juin, la 25e Brigade passa dans la réserve divisionnaire. En plus des activités normales de réserve, elle travailla aux ouvrages de défense des lignes *Kansas* et *Wyoming* et reçut une instruction de perfectionnement; elle prit également part à une opération nommée «Arche de Noé». La mousson de juillet et la crue consécutive de la rivière Imjin menaçaient d'effondrement les ponts *Teal* et *Pintail*. En dépit des efforts, le pont *Teal* fut emporté. Cependant, vers la mi-septembre, lorsque la crue diminua, le pont *Pintail* tenait toujours et le pont *Teal* était en voie de restauration.

Entre-temps, les Canadiens étaient retournés au front le 10 août. Ce retour fut marqué par un changement important dans la situation générale. Au cours de l'été 1952, l'ennemi était devenu graduellement plus agressif. Il avait occupé une partie du *no-man's-land*, envoyé des patrouilles, lancé des raids sur les positions avant, et augmenté le volume du bombardement des positions avant. Cette activité accrue devait atteindre des proportions gigantesques en octobre et novembre.

Le front établi par la brigade s'étendait entre ce qui avait été les villages de Paujol-gol et Kojanharisaemal dont la gauche était assurée par le Royal 22e, la droite par le *PPCLI* et le centre par le *RCR* sur la cote 355. Au cours des trois mois qui suivirent, la 25e Brigade allait essuyer des tirs de mortiers et d'obus beaucoup plus nourris qu'en toute autre période sur le front. Des pluies torrentielles vinrent faire taire l'artillerie ennemie, mais l'eau entraîna l'effondrement des casemates ou les rendit inutilisables. Lorsque les pluies cessèrent, les bombardements reprirent. Occupés à améliorer leurs défenses, les Canadiens ne patrouillèrent pas en grand nombre jusqu'à la fin du mois d'août lorsque des patrouilles de combat du *PPCLI* et du *RCR* franchirent la vallée.

Au cours de la première partie d'octobre, le front américain à l'est fut l'objet de combats soutenus mais la Division du Commonwealth demeura relativement intouchée. Cette situation ne devait pas durer. Les bombardements ennemis s'accrurent et les ripostes aux

Membres du R22eR discutant des rumeurs de paix dans une tranchée près de la rivière Imjin, juin 1951.

SF/1900

Membre de la fanfare du
1er btn du *PPCLI*.

patrouilles s'intensifièrent. Un raid contre la cote 227, mené par la compagnie «B» du *RCR* les 12 et 13 octobre, tomba dans une embuscade à proximité de son objectif. Trois nuits plus tard, une patrouille de 25 hommes du *PPCLI* tomba sur un peloton chinois dans le secteur de la cote 217; elle y perdit 10 hommes, deux morts et huit blessés. L'accroissement de l'activité ennemie, surtout dans les environs des cotes 227 et 217, laissait prévoir que les Chinois se préparaient à quelque chose dans ce secteur du front. Leurs intentions devinrent manifestes une semaine plus tard.

L'attaque de la cote 355

La cote 355, connue sous le nom de «Petit Gibraltar», avait été le théâtre de combats acharnés depuis que le secteur avait d'abord été occupé au cours de l'opération *Commando* en octobre 1951. L'activité canadienne la plus remarquable avait été la défense des positions dans le col de la cote 227 par le 2e bataillon du Royal 22e Régiment du 22 au 25 novembre. Depuis le début de septembre 1952, le *Royal Canadian Regiment* gardait la cote. Cinq secteurs de compagnie se trouvaient à l'intérieur de ses limites.

L'ennemi prépara l'attaque par un bombardement nourri pendant les trois premiers jours d'octobre, surtout contre la zone II qui se trouvait immédiatement à l'est du col, entre les cotes 355 et 227. Du 17 au 22 octobre, les bombardements reprirent. Ainsi, lorsque la compagnie «B» occupa le secteur, le 22 octobre, elle trouva les fortifications en très mauvais état, les lignes téléphoniques coupées et les tranchées effondrées. Les tirs d'obus ennemis rendaient impossible l'amélioration des fortifications et des lignes de communications.

Peu après 18 heures le 23 octobre, l'ennemi fit pleuvoir une autre concentration de feu d'artillerie très intense avant de passer à l'attaque. Sous la violence de l'assaut et sans communication, la compagnie «B» se retira dans le secteur de la compagnie «A». Le commandant du bataillon ordonna alors un tir de mortiers et de canons de chars d'assaut sur les secteurs tombés aux mains de l'ennemi ainsi que contre la cote 227, la zone à l'ouest de la cote 355 et la vallée au nord. Il ordonna ensuite une contre-attaque. La contre-attaque par la compagnie «D» se poursuivit vers minuit. Le peloton de gauche rencontra une forte résistance et

subit des pertes, mais réussit à reprendre la position.

Le front de la division demeura relativement calme pendant les quelques jours qui suivirent, avant que la brigade ne termine son service. Ainsi prenait fin, pour la brigade, l'une des périodes les plus difficiles de la guerre et certainement la plus coûteuse: en moins de trois mois, le *RCR* avait subi 191 pertes, le *PPCLI*, 18, et le Royal 22e Régiment, 74.

Le deuxième roulement d'automne – novembre 1952

Le 3 novembre 1952, le 3e bataillon du *PPCLI* remplaça le 1er bataillon dans l'ordre de bataille et entreprit la dernière étape de son entraînement avant de partir pour le front. Il était également chargé des contre-attaques afin de reprendre les positions que l'ennemi avait prises du *Black Watch* de la 29e Brigade britannique. Comme c'était à prévoir, la répétition de la contre-attaque se muta en action réelle sur un terrain appelé «le Crochet». Ce terrain accidenté allait devenir le lieu de bien des pertes aux unités du Commonwealth dans les mois à venir.

En provenance de l'ouest, un affluent sans nom de la rivière Sami-chon séparait les forces belligérantes dans la région du Crochet. Le versant sud de la vallée de cet affluent était dominé par une crête qui s'étendait du nord-ouest au sud-est. La cote 146 formait l'extrémité est de cette ligne de faîte. Le Crochet marquait la limite ouest de la chaîne de collines. Du Crochet on pouvait surveiller la vallée du cours inférieur de la Sami-chon; par conséquent, la vallée était l'objet de fréquentes attaques ennemies.

Le *Black Watch* défendait la ligne de la cote, la nuit du 18 novembre, lorsque l'ennemi attaqua avec des effectifs équivalant à ceux d'un bataillon, et réussit à prendre pied sur le Crochet. Au moment où la compagnie du *Black Watch*, postée sur la cote 146, contre-attaqua, le 3e bataillon du *PPCLI* assisté d'une troupe de chars du *Lord Strathcona's Horse* s'avança pour prêter main forte à l'unité et la relever à la défense de la cote 146. À l'aube, le *Black Watch* avait nettoyé la position principale et le *PPCLI* occupait le terrain sans difficulté. Le *PPCLI* demeura sur le Crochet pendant plusieurs jours avant de rejoindre le bataillon à l'entraînement en vue du retour de la brigade au front.

a. Soldat du 1er btn du *RCR* attendant de recevoir des soins après une patrouille de nuit, juin 1952. *b.* Soldats du Corps des transmissions royal canadien dépistant le point de rupture d'une ligne rompue, juin 1952. *c.* Soldats du 1er btn du *RCR* après l'attaque sur la colline «Petit Gibraltar», octobre 1952.

À la fin de novembre, la 1re Division du Commonwealth entreprit un nouveau déploiement général de ses troupes. Au lieu d'avoir deux brigades au front avec trois bataillons à l'avant, les trois brigades se trouvaient sur la ligne de front avec chacune seulement deux bataillons à l'avant. Ainsi, chaque commandant de brigade contrôlait un front plus étroit et disposait de bataillons de réserve pour contre-attaquer et effectuer la relève.

Lorsque les Canadiens revinrent au front, ils s'installèrent sur la gauche du front de la division; le brigadier Bogert plaça le Royal 22e sur la hauteur de Yongdong, à l'est de la rivière Sami-chon, et le *PPCLI* sur le Crochet. Le *RCR* fut de réserve, à l'exception d'une compagnie rattachée au *PPCLI*.

Les deux mois qui suivirent devaient être relativement tranquilles. La principale activité portait sur l'amélioration des ouvrages de défense, notamment ceux du Crochet. L'importance de tunnels et de tranchées efficaces avait été démontrée lors des attaques d'octobre contre la cote 355, lorsque l'artillerie chinoise avait tellement détruit les défenses que toute résistance était impossible. Par contre, au cours des attaques des 18 et 19 novembre contre le Crochet, lorsque les postes défensifs à découvert avaient été rasés, les défenseurs du *Black Watch* pouvaient trouver asile dans les tunnels existants et demander à l'artillerie d'ouvrir le feu sur l'ennemi. Ils avaient ainsi empêché que la position ne

a.

a. Soldat du 2ᵉ btn du *PPCLI* montrant une imitation de cornet de crème glacée à des enfants coréens.
b. Membres du 1ᵉʳ btn du R22ᵉR en position de combat, décembre 1952.
c. Membres du Génie royal canadien posant une charge explosive au cours de travaux de construction de routes, juillet 1952.

tombe aux mains de l'infanterie d'assaut. Au cours de cette période au front, les tranchées furent approfondies et prolongées, les postes de commandement, les postes d'observation et les casemates furent fortifiés, et l'on construisit toutes sortes d'autres terrassements. Le programme de tunnels fut exécuté par le gros des hommes du 23ᵉ Escadron de campagne du Génie royal canadien, aidé de trois compagnies d'ouvriers sud-coréens. Le travail était à la fois difficile et dangereux. Se frayant un chemin dans le roc solide et le sol gelé, les sapeurs avaient prolongé de 112 mètres les tunnels existants à la fin janvier.

Pendant ce temps, les attaques ennemies et les patrouilles actives se poursuivaient, mais ni les unes ni les autres n'avaient la même importance qu'auparavant. Les Canadiens ne prirent part à aucun raid de compagnie pendant cette période, mais les patrouilles stationnaires et les patrouilles de reconnaissance, d'embuscade et d'attaque, accompagnées de fréquentes alertes sous la menace d'attaques ennemies, obligeaient les troupes à demeurer vigilantes. Cependant, sur la droite du front de la division, la 28ᵉ Brigade n'eut pas autant de chance. Plusieurs rencontres violentes dans le secteur des cotes 355 et 227 se soldèrent par des pertes plutôt lourdes.

À la fin de décembre, le *PPCLI* et le *RCR* avaient changé de position. Le Royal 22ᵉ Régiment demeura sur le mamelon Yongdong jusqu'au 30 janvier. Le mois passé au Crochet par le *RCR* fut aussi calme. Bien que l'unité se soit adonnée à des patrouilles actives, elle ne rencontra que rarement l'ennemi et ces rencontres ne lui infligèrent aucune perte importante.

Le 30 janvier 1953, toute la 1ʳᵉ Division du Commonwealth (à l'exception de l'artillerie) passa en réserve pour la première fois depuis sa formation en juillet 1951.

L'artillerie divisionnaire demeura au front afin d'apporter son appui aux unités américaines qui prirent la relève.

La Division du Commonwealth demeura en réserve jusqu'au 8 avril, période durant laquelle elle effectua des exercices d'entraînement au niveau des bataillons, des brigades et de la division. Deux événements importants allaient se produire au cours de cette période. Le premier fut l'ajout de soldats sud-coréens à la Division du Commonwealth. L'autre fut le début du deuxième roulement important des unités canadiennes en Corée.

Le personnel coréen dans les forces canadiennes (Katcoms)

Peu avant d'être rappelée sur la ligne de front, au printemps de 1953, la Division du Commonwealth fut renforcée par 1,000 soldats coréens appelés en anglais «Katcoms», abréviation signifiant l'apport coréen au Commonwealth (*Korean Augmentation to Commonwealth*). Les Sud-Coréens avaient servi au sein des forces du Commonwealth depuis le tout début de la guerre comme porteurs, pourvoyeurs et interprètes, rôles de nature non combattante. Un Corps de service coréen avait été formé à cette intention et un régiment avait été rattaché à la 1ʳᵉ Division du Commonwealth. Pendant ce temps, le commandement des Nations Unies avait entrepris l'entraînement des nationaux coréens comme renforts d'infanterie. Ces hommes de troupe qui avaient reçu l'entraînement de base étaient maintenant plus nombreux que pouvaient équiper et absorber les unités coréennes existantes. Les soldats sud-coréens servaient déjà dans les formations américaines.

En mars 1953, les premiers Katcoms furent intégrés dans les bataillons canadiens. Rémunérés par le gouvernement coréen, ils étaient équipés, habillés et

b.

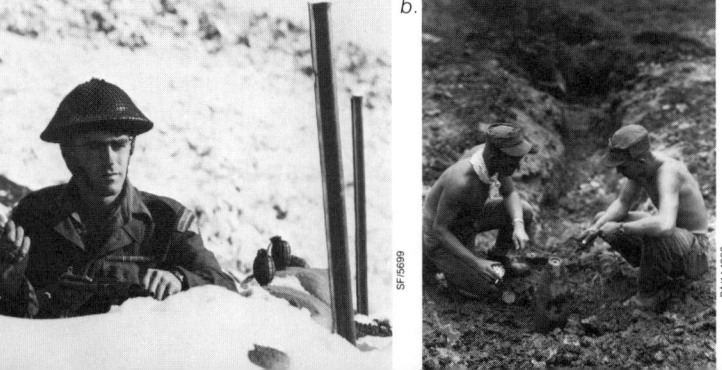

c.

armés par les unités qui les acceptaient. Bien que des difficultés aient surgi en raison des différences de langues, de façons de voir les choses, et de coutumes ainsi que des problèmes de solde, l'expérience connut un assez bon succès et permit l'apport d'une main-d'oeuvre valable.

Le roulement de 1953

Le début du programme de Katcom coïncida à peu près avec le retour au front de la 1re Division du Commonwealth et la deuxième grande opération de roulement des unités canadiennes. Les unités qui prirent la relève comprenaient: les troisièmes bataillons du *Royal Canadian Regiment* et du Royal 22e Régiment, l'escadron «A» du *Lord Strathcona's Horse*, le 81e régiment de campagne de l'Artillerie royale canadienne, le 59e escadron de campagne indépendant du Génie royal canadien, ainsi que quelques unités de service.

Le 6 avril 1953, la Division du Commonwealth retourna au front pour occuper des positions à la cote 355 et au Crochet de l'autre côté de la rivière Sami-chon. Désormais sous le commandement du brigadier J.V. Allard, la 25e Brigade occupait le secteur central. Ce devait être la dernière période de service au front durant la guerre de Corée. Bien que les derniers mois de la campagne aient été loin d'être calmes, la 25e Brigade n'essuya qu'une seule attaque violente. Dans la nuit du 19 avril, le 3e bataillon du *RCR* se rendit au front pour la première fois, sur la cote 187 la plus au sud. La position ressemblait à la paume d'une main géante, la cote 187 formant la base du pouce à partir de laquelle des arêtes, semblables à des doigts, s'étendaient vers l'ouest. Le commandant s'employa immédiatement à améliorer les fortifications et à accroître les patrouilles dans le *no-man's-land* où l'ennemi avait lancé ses initiatives. Même si l'ennemi avait augmenté ses patrouilles et ses tirs d'obus dans le secteur, il n'y avait aucun avertissement de l'attaque qui devait porter en force sur les positions de la compagnie «C».

Dans la nuit du 2 au 3 mai, une patrouille de la compagnie «A» traversa la position «C» à 20h30 dans le but de tendre une embuscade à toute patrouille ennemie qui s'infiltrerait dans le secteur. Deux heures plus tard, la patrouille fut soudainement attaquée par l'ennemi, le chef de patrouille fut tué et la moitié de ses

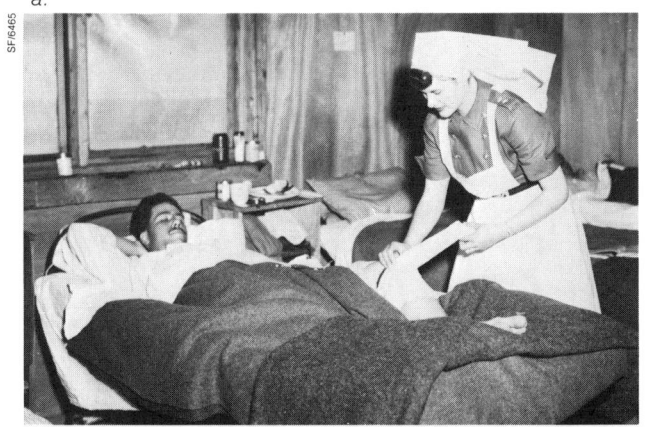
a.

b.

c.

a. Infirmière soignant un soldat au 25e poste canadien de secours en campagne, Corps de santé royal canadien, avril 1953. *b.* Sapeurs du Génie royal canadien, mars 1953. *c.* Troupes du 2e btn du *RCR* et des chars d'assaut du *Lord Strathcona's Horse*, février 1953.

a. Soldats du *PPCLI*, juin 1953. *b.* Joute finale du championnat de hockey de la 25ᵉ Brigade d'infanterie canadienne, «*Imjin Gardens*», février 1953.

hommes, blessés ou tués. Les survivants reçurent l'ordre de se retirer et un peloton de la compagnie «C» fut dépêché pour livrer combat à l'ennemi. Une section avant de ce peloton se trouva bientôt impliqué dans un combat perdu d'avance et dut lutter pour assurer sa retraite. À minuit, l'ennemi entreprit un bombardement intense qu'il fit suivre par un assaut de l'infanterie. Les Canadiens firent appel à un tir nourri de l'artillerie pour répondre à cette attaque; à une heure et demie du matin, l'ennemi commença à battre en retraite et les Canadiens reprirent leurs positions.

Les 12 dernières semaines de la guerre furent relativement sans événement important pour l'infanterie canadienne, même si les artilleurs furent fort occupés.

Les combats en Corée prirent fin lorsque l'accord d'armistice en Corée fut signé à Panmunjom le 27 juillet 1953.

Appui aérien et naval

Bien que le récit des hostilités en Corée soit dominé par les combats des forces terrestres contre l'ennemi dans les collines, les marécages et les rizières, sous les pluies torrentielles et la neige, il faut souligner que toutes les étapes de la campagne de Corée consistaient en des opérations conjuguées au cours desquelles les forces des Nations Unies sur mer et dans les airs jouèrent un rôle vital et prépondérant. Un des principaux délégués communistes aux pourparlers d'armistice en août 1951 affirma que: «Sans l'appui . . . de vos forces aériennes et navales [ONU], vos forces terrestres auraient été chassées de la péninsule coréenne par nos forces terrestres puissantes et aguerries.» Il ne fait aucun doute que l'appui aérien et naval fut vital aux accomplissements des Nations Unies en Corée.

Appui aérien

Dès le tout début de la guerre, les forces des Nations Unies jouissaient d'une suprématie complète des airs au-dessus du champ de bataille. Les forces aériennes nord-coréennes furent détruites au cours de l'été de 1950 et l'entrée des forces chinoises dans la guerre en novembre de la même année ne changea rien à la situation. Leurs avions à court rayon d'action, construits

en Russie, exigeaient des terrains d'atterrissage en Corée et ceux-ci furent détruits avec succès par des bombardiers américains. Les bombardiers lourds des Nations Unies atteignirent des objectifs aussi loin au nord que le fleuve Yalu, frontière avec la Mandchourie, et infligèrent de lourdes pertes et des dommages énormes aux terrains d'atterrissage, aux ponts, aux voies ferrées et aux tunnels. Les chasseurs pilonnaient sans relâche les positions avancées de l'ennemi, le contraignant à déplacer hommes et matériel pendant la nuit, tandis que les reconnaissances aériennes facilitaient la tâche des troupes terrestres des Nations Unies dans leurs opérations.

La participation canadienne à l'effort aérien commença au tout début de la guerre avec le détachement du 426e escadron de transport de l'ARC auprès du Service du transport aérien militaire des États-Unis. En juin 1954, lorsque cette affectation prit fin, cette unité

a

avait effectué 600 vols aller-retour au-dessus du Pacifique, transportant ainsi plus de 13,000 passagers et 3,000,000 kilos de marchandises et de courrier sans subir une seule perte.

Vingt-deux pilotes de combat de l'ARC et un certain nombre d'officiers techniciens ont servi dans la 5e Armée de l'air américaine. Les Canadiens portèrent à leur crédit 20 chasseurs ennemis détruits ou endommagés, ainsi que la destruction de plusieurs trains et camions ennemis.

Appui naval

La Corée étant une péninsule, elle présentait une situation assez spéciale à l'appui naval. Pour assurer cet appui, un total de huit navires de la Marine royale du Canada (MRC) se joignit à la marine des Nations Unies et à celle de la République de Corée pour exécuter une grande variété de tâches. Ils maintinrent un blocus permanent de la côte ennemie, empêchèrent l'ennemi d'effectuer des débarquements amphibies, protégèrent les porte-avions de la menace d'attaques aériennes et sous-marines et appuyèrent les forces terrestres des Nations Unies en bombardant les zones côtières occupées par l'ennemi. De plus, ils protégèrent les îles amies et apportèrent aide et soulagement aux personnes malades et dans le besoin des villages de pêcheurs isolés de la Corée du Sud.

La destruction de l'armée de l'air nord-coréenne et de sa petite flotte de canonnières au tout début de la guerre avait pratiquement éliminé le danger d'attaques ennemies contre les navires des Nations Unies. Il restait cependant le danger des mines ennemies et des tirs de canons des batteries côtières, ainsi que celui que présentaient la géographie et le climat de la région.

Le 5 juillet 1950, seulement 11 jours après le début des hostilités, les navires *Cayuga*, *Athabaskan* et *Sioux* quittaient Esquimalt sous le commandement du capitaine J.V. Brock. Le 30 juillet, date locale, les destroyers canadiens arrivaient au port de Sasebo, au Japon, prêts à entrer dans la bataille pour établir la tête de pont de Pusan en Corée. Avant la fin de la guerre en 1953, cinq autres navires canadiens devaient aussi servir dans la Division des destroyers canadiens, en Extrême-Orient, au cours de la campagne de Corée: les navires *Nootka*, *Iroquois*, *Huron*, *Haida* et *Crusader*.

Comme la force navale canadienne en Corée se composait seulement de destroyers, il fallait habituellement les utiliser séparément. Ce n'est donc que très rarement que les navires canadiens servirent côte à côte dans les eaux coréennes. Ils furent d'abord rattachés au commandement britannique pour maintenir le blocus de la côte ouest, mais ils prirent également leur tour de service dans les opérations près de la côte est.

Dès leur arrivée, les destroyers canadiens furent

b.

a. Canadiens de l'escadron n° 426 (*Thunderbird*) dans le poste de pilotage d'un *North Star* en route pour la Corée, avril 1951.
b. L'*Iroquois* vu du *Huron* au cours des opérations en Corée.

chargés de fonctions d'escorte et de patrouille, car le besoin immédiat le plus urgent était le transport rapide d'hommes de troupe à la tête de pont assiégée de Pusan. En août, ils se déplacèrent vers la côte ouest de la Corée où ils prirent part au bombardement des positions ennemies et aidèrent au débarquement des forces de la République de Corée dans les îles nord-coréennes. Les trois navires participèrent ensemble à des opérations pour la première fois en septembre 1950 afin d'appuyer les débarquements d'Inchon. Aidés de quelques vaisseaux légers sud-coréens, les navires canadiens avaient pour mission particulière de protéger un flanc de la force d'invasion. Ils exécutèrent cette tâche sans rencontrer d'opposition ennemie.

Après les débarquements d'Inchon et les succès remportés par les Nations Unies à l'automne de 1950, il semblait que la guerre serait bientôt finie, mais l'intervention chinoise transforma complètement la situation. En décembre, des ordres furent donnés afin d'évacuer Chinnampo, le port de Pyongyang, et de préparer le retrait d'Inchon.

Le groupement stratégique du capitaine Brock, la plus grande force navale se trouvant dans la région, se composait de six destroyers, dont trois navires canadiens, deux australiens et un américain. Cette force fut chargée de protéger la flotte de retrait. La situation militaire était grave. Il y avait danger que l'ennemi attaque le port. Par conséquent, les destroyers reçurent l'ordre d'entrer dans le port et d'être prêts à fournir un tir de canon d'appui.

Dès qu'il eut reçu un message décrivant l'urgence de la situation à Chinnampo, à la fin de la journée du 4 décembre 1950, le capitaine Brock ordonna aux six destroyers de remonter la rivière Taedong à la faveur de la nuit afin d'atteindre le port situé à environ 32 kilomètres en amont. C'était une entreprise dangereuse. Le chenal, étroit et peu profond, avait été truffé de mines par les Nord-Coréens. Deux navires s'échouèrent et durent rebrousser chemin pour être réparés. Les quatre autres destroyers, guidés par le Cayuga, continuèrent à remonter lentement et avec précaution le chenal au cours d'un voyage particulièrement harassant dans l'obscurité et à marée basse. Après avoir terminé cette opération dangereuse, la force navale monta la garde contre toute attaque ennemie qui, heureusement, ne se produisit pas.

Une fois les troupes évacuées en sécurité, les destroyers bombardèrent le port afin de détruire les voies ferrées, les installations portuaires, ainsi que d'énormes approvisionnements de matériel stratégique qu'il avait fallu abandonner. Le lendemain, 6 décembre 1950, tous les navires avaient quitté le chenal et le capitaine Brock signalait que sa mission avait été accomplie avec succès.

Du 20 novembre 1950 au début de janvier 1951, pendant que les forces terrestres des Nations Unies subissaient de lourds échecs, les navires canadiens demeurèrent presque continuellement de service le long de la côte ouest. En plus de leur fonction de protection des porte-avions, ils escortèrent les navires marchands, effectuèrent des patrouilles de blocus et assurèrent une protection antiaérienne et un appui général aux forces évacuant Inchon. Le 22 décembre, l'Athabaskan fut retiré du service afin de subir des réparations et des travaux généraux d'entretien. Le Sioux retourna à Sasebo le 2 janvier afin de se préparer à son retour au Canada, et fut remplacé par le Nootka. Le Cayuga, après avoir établi un record pour le Commonwealth avec 50 jours de patrouille, rejoignit les autres vaisseaux à Sasebo le 8 janvier.

À la mi-janvier 1951, les destroyers canadiens essuyèrent le feu ennemi pour la première fois au cours du Conflit coréen lorsqu'ils se joignirent aux forces des Nations Unies pour bombarder le port d'Inchon, alors aux mains de l'ennemi. Pendant que les navires Cayuga et Nootka quittaient le port d'Inchon le 25 janvier, l'ennemi ouvrit le feu. Heureusement, les canons ennemis étaient imprécis. Les navires firent machine arrière et avec leurs canons de quatre pouces firent taire les batteries côtières. Le Cayuga fut à nouveau attaqué par des tirs ennemis lors de son retour à Inchon deux jours plus tard, mais encore une fois, s'en tira indemne tout en poursuivant le bombardement.

À l'exception de ces combats, les premiers mois de 1951 furent assez calmes pour les navires canadiens. Ils consacraient la majeure partie de leur temps à la protection des porte-avions. C'était une tâche difficile, mais généralement sans imprévu. Les destroyers avaient mission de les protéger contre les attaques aériennes et sous-marines et les équipages devaient être toujours vigilants.

Un certain nombre de changements à l'égard des

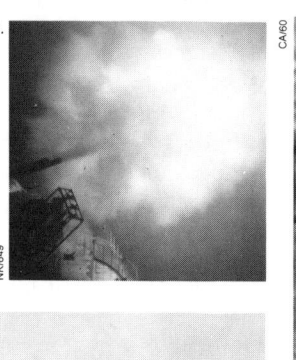

a. Interrogation de l'équipage d'une jonque de pêcheurs sud-coréens par des officiers du *Nootka*, juin 1951. *b.* L'*Athabaskan* est ravitaillé en pétrole alors qu'il se dirige vers la Corée, juillet 1950. *c.* Le *Crusader* en route vers la Corée.

d. Bombardement par le *Nootka* d'une cible ennemie, des chevalets d'un pont de chemin de fer, mai 1951. *e.* Bombardement de nuit par le *Nootka*, Songjin, mai 1951. *f.* Une jonque coréenne s'amarrant au *Cayuga*, août 1950.

NK/702

OC/310-1

NK/665

NK/649

CA/60

CU/773

a. Vérifiant l'état de la glace sur l'accastillage du *Nootka* au large de la côte coréenne, février 1952. *b.* Le *Sioux* patrouillant dans les champs de glace au large de la côte coréenne, février 1952.

a.

b.

navires canadiens furent apportés au cours du printemps et de l'été de 1951. En mars, le *Cayuga* rentra au Canada et fut remplacé par le *Huron*. En mai, le *Sioux* retourna sur le théâtre de guerre afin de prendre la relève de l'*Athabaskan*. En juillet et en août, le *Nootka* et le *Huron* quittèrent la Corée à destination du Canada tandis que le *Cayuga* et l'*Athabaskan* retournèrent pour une deuxième période de service.

La période des offensives et des contre-offensives terrestres qui s'étendit d'avril à juin 1951 fut également une époque fort occupée pour les navires canadiens car ils commencèrent à mener des opérations beaucoup plus fréquentes sur la côte est et à effectuer de plus nombreuses patrouilles de blocus. Une patrouille régulière comprenait habituellement le bombardement des voies ferrées, des routes, des installations d'artillerie et de nombreux autres objectifs.

Sur la côte ouest, la protection des îles ayant une valeur stratégique devint une part importante des opérations des navires de ces unités spéciales. Sur la côte est, le port de Wonsan devint le point central des opérations navales.

Au cours des derniers mois de 1951, pendant que les négociations de trêve se poursuivaient sporadiquement, les forces aériennes et navales assistèrent à un accroissement des combats en raison d'attaques ennemies contre les îles. La chute de Taehwa illustre bien la difficulté de défendre ces îles. Cette île, située à l'intérieur du golfe Yalu à moins de deux kilomètres de deux petites îles aux mains des communistes, était

défendue par deux officiers de l'armée américaine et un petit groupe de guérilleros coréens. Pendant plusieurs mois, les destroyers canadiens avaient participé à l'approvisionnement et à la défense de l'île. Puis, dans la nuit du 30 novembre 1951, une flottille de petites jonques en bois et d'embarcations pneumatiques franchit le bras de mer à la dérive pour atteindre les plages du nord. Les destroyers canadiens, munis d'installations de radar modernes, n'étaient pas de service dans le secteur cette nuit-là et, lorsque les embarcations furent détectées, il était déjà trop tard. Les troupes communistes bien armées envahirent rapidement les défenses des guérilleros.

Au début de 1952, la situation en Corée était sombre car les pourparlers de trêve étaient dans une impasse. Les opérations navales cependant se poursuivirent comme à l'habitude pendant toute l'année. Les destroyers canadiens s'occupèrent principalement d'activités de défense des îles, de protection des porte-avions et de patrouilles côtières. Sur la côte ouest, le secteur de Haeju, en particulier, devint le théâtre d'une activité navale canadienne intense. Ce secteur, qui s'étend de l'extrémité est de la baie de Haeju-man jusqu'à l'île de Kirin, se compose d'une agglomération hétéroclite d'îles et de péninsules fortement découpées. Pour le *Nootka* (revenu sur le théâtre des combats pour prendre la relève du *Sioux* en février), ce secteur devait être la scène d'une période fort occupée. Pendant qu'il opérait dans le voisinage de Haeju, au cours de la seconde moitié de juillet et des premiers jours d'août, il débarqua quotidiennement des équipes du service des renseignements militaires et à sept reprises se trouva sous le feu de l'ennemi. Heureusement, il n'y eut aucune perte.

C'est en octobre 1952 que la Marine royale du Canada devait déplorer ses premières et seules pertes dans la guerre. Au cours d'une patrouille le long de la côte est, l'*Iroquois* fut atteint d'un coup direct par une batterie côtière. Trois hommes furent tués et dix autres blessés.

En novembre 1952, le *Nootka* et l'*Iroquois* repartirent pour le Canada; l'*Athabaskan* retourna sur le théâtre de guerre pour y accomplir une troisième période de service, et le *Haida* s'y rendit pour la première fois. Le *Haida* était le huitième destroyer canadien à être en service dans les eaux coréennes.

Sur la côte est où le terrain accidenté obligeait les

voies ferrées à longer le littoral à maints endroits, les trains ennemis devinrent des cibles de prédilection pour les canons de la marine. Lorsqu'un club de «*Trainbusters*» (destruction de trains) fut constitué vers le milieu de 1952, les navires canadiens y participèrent volontiers. Le *Crusader* se distingua avec une fiche de quatre trains à son crédit. Ensemble, les navires canadiens inscrivirent huit des 28 trains détruits, soit un record hors de proportion du nombre des navires canadiens et de la durée de leur service dans le secteur.

C'est à Noël 1952 que l'on vit pour la première fois depuis le début des hostilités les trois navires canadiens ensemble au port. Malheureusement, avant la fin de l'année, ils reprirent une fois de plus les patrouilles pour affronter les dangers des batteries côtières ennemies, les risques de la navigation près du littoral et les caprices désagréables de l'hiver sur la mer Jaune.

Au cours des six derniers mois de la guerre, ce fut le retour aux activités régulières pour les destroyers canadiens. Ils s'adonnèrent à la protection coutumière des porte-avions et aux patrouilles le long de la côte ouest, ainsi qu'à des missions plus dangereuses et exaltantes sur la côte est.

Après la signature de l'armistice le 27 juillet 1953, la force navale des Nations Unies demeura sur place afin d'évacuer les îles qui devaient être remises à la Corée du Nord et d'effectuer des patrouilles opérationnelles de routine. Le dernier destroyer canadien quitta la Corée en septembre 1955.

La contribution de la Marine royale du Canada aux efforts de guerre des Nations Unies en Corée fut importante. Avec seulement neuf destroyers, la MRC a maintenu une force de trois destroyers sur le théâtre des combats pendant toute la campagne. Au moment où l'armistice fut signé, 3,621 officiers et marins de la Marine royale du Canada avaient servi en Corée.

Épilogue

Le 27 juillet 1953, la Convention d'armistice en Corée était signée à Panmunjom, mettant fin à trois ans de combats. La trêve qui y fit suite ne fut pas facile et la Corée demeura un pays divisé. Cependant, l'intervention des Nations Unies en Corée fut un geste d'une signification inestimable. Pour la première fois dans l'histoire, un organisme international était intervenu efficacement grâce à des forces armées multinationales, pour enrayer un acte d'agression. Les Nations Unies sortirent du conflit avec un prestige accru.

Juste avant la fin des hostilités, les deux parties belligérantes avaient atteint le sommet de leurs forces militaires. Du côté communiste, les effectifs totaux étaient évalués à 1,155,000 hommes dont 858,000 étaient des Chinois. De plus, il y avait peut-être quelque 10,000 hommes de troupes soviétiques occupant divers rôles non guerriers. Le commandement des Nations Unies se composait de 272,000 Sud-Coréens et de 266,000 hommes représentant 16 nations différentes. À ces chiffres s'ajoutent des milliers d'autres membres des effectifs affectés au maintien des lignes de communication et à des rôles paramilitaires.

Au total, 26,791 Canadiens ont servi pendant la guerre de Corée et un autre contingent de 7,000 hommes est venu s'ajouter aux effectifs sur le théâtre des opérations entre le cessez-le-feu et la fin de 1955. Le nombre de pertes au combat, morts et blessés, des Nations Unies (y compris les Sud-Coréens) se chiffre à environ 490,000. De ce nombre, 1,558 étaient des Canadiens. Les noms des 516 Canadiens morts à la guerre figurent dans le Livre du Souvenir sur la Corée.

La participation canadienne ne constitua qu'une petite partie de l'effort total des Nations Unies, mais elle fut néanmoins considérable. Elle fut plus importante en fonction de la population du Canada que celle de la plupart des nations qui ont fourni des troupes pour constituer la force internationale. Elle marque également une nouvelle étape dans l'évolution du Canada comme nation. La participation canadienne en Corée fut suivie par d'autres opérations de maintien de la paix où l'on vit des troupes canadiennes se déployer autour du monde dans de nouveaux efforts pour promouvoir la liberté internationale et maintenir la paix dans le monde.

Un nouvel approvisionnement de munitions est transbordé en mer d'un destroyer américain au *Haida*, juin 1953.

b.

Cimetière commémoratif des Nations Unies

En janvier 1951, les divers cimetières militaires aménagés à l'arrière du champ de bataille furent regroupés à Tanggok, en banlieue de Pusan. Le terrain du cimetière fut cédé aux Nations Unies par la République de Corée en guise de reconnaissance envers tous ceux qui avaient donné leur vie pour combattre un acte d'agression et rétablir la paix et la liberté. Le cimetière est divisé en sections nationales marquées de drapeaux et les tombes portent une stèle permanente, chacune ayant une plaque de bronze où figurent le nom et l'unité du défunt.

Il y a 2,267 militaires d'inhumés dans le cimetière commémoratif des Nations Unies. De ce nombre, 1,558 sont des soldats du Commonwealth, dont 378 sont des Canadiens.

Un mémorial de pierre orné de panneaux en bronze fut érigé afin de perpétuer la mémoire des soldats du Commonwealth qui sont morts au combat et dont la sépulture est inconnue. Les noms de 16 Canadiens figurent sur les plaques de bronze du mémorial qui portent l'inscription suivante:

Sur ce mémorial sont inscrits les noms des hommes de la Grande-Bretagne, du Canada, de l'Australie, de la Nouvelle-Zélande et de l'Afrique du Sud, morts en Corée et dont la sépulture est inconnue. Ils moururent avec des hommes d'autres pays en combattant pour le maintien des idéaux des Nations Unies.

a. Un soldat du *PPCLI* se recueille sur la tombe d'un camarade mort au combat, dans le cimetière des Nations Unies, avril 1951. *b.* Le Cimetière commémoratif des Nations Unies, Pusan, Corée.

a.

Éléments des Forces canadiennes qui ont participé aux opérations des Nations Unies en Corée, 1950-1953

La Marine royale du Canada (MRC)
L'*Athabaskan*
Le *Cayuga*
Le *Sioux*
Le *Nootka*
Le *Huron*
L'*Iroquois*
Le *Crusader*
Le *Haida*

L'Armée canadienne
Lord Strathcona's Horse (Royal Canadians)
2e Régiment de campagne, *Royal Canadian Horse Artillery (RCHA)*
1er Régiment, *Royal Canadian Horse Artillery (RCHA)*
81e Régiment de campagne, Artillerie royale canadienne
Le Génie royal canadien
Le Corps des transmissions royal canadien
The Royal Canadian Regiment (RCR)
2e Bataillon
1er Bataillon
3e Bataillon
Princess Patricia's Canadian Light Infantry (PPCLI)
2e Bataillon
1er Bataillon
3e Bataillon
Royal 22e Régiment (R22eR)
2e Bataillon
1er Bataillon
3e Bataillon
L'Intendance royale canadienne
Le Corps de santé royal canadien
Le Corps dentaire royal canadien
Corps des magasins militaires royal canadien
Le Corps du génie électrique et mécanique royal canadien
La Trésorerie royale canadienne
Le Corps postal royal canadien
Le Corps royal de l'Aumônerie de l'Armée canadienne
Le Corps canadien de la prévôté
Service canadien des renseignements

L'Aviation royale du Canada (ARC)
L'escadron n° 426 *(Thunderbird)*
(22 pilotes de l'Aviation royale du Canada servirent avec la 5e Armée de l'air américaine)